Alexis Salatko

Horowitz et mon père
Horowitz and My Father

&

«L'Américain»
"The American"

an excerpt from

China et la grande fabrique
China and the Big Porcelain Factory

Series Editor
Gerald Honigsblum Ph.D.

Annotation by
Tara Golba

LIN·GUAL·I·TY
Cambridge/Paris

Editor's Preface

"Tornado from the Steppes," "Virtuoso without Limit," "King of Pianists," "Satan of the Keyboard." These were only a few of the nicknames ascribed to Vladimir Horowitz, one of the 20th-century's most prodigious performers. In *Horowitz et mon père*, however, we learn that before he became a legendary pianist, Horowitz was called "Cabbage Head" by his friends. Other characters in this poignant, often humorous novel have evocative nicknames, as well—"Secret d'Etat," "Os de Verre," "Caramia"—and through this literary device the characterizations immediately take on a vividness that would otherwise take paragraphs to create.

This is evidence of the subtle genius of Alexis Salatko's writing. In this relatively short novel, he presents the reader with a rich assortment of characters and a story spanning more than a half a century, narrated by a young man whose voice seems to mature from youth to adult over the course of the book. The story centers on a group of Russian émigrés who have fled to a Parisian suburb following the Bolshevik Revolution. Horowitz is just a shadow character, the story revolving around the narrator's father, Dimitri Radzanov, who studied with Horowitz at the Kiev Conservatory and allegedly was his equal at the keyboard. Through this reconstitution of an obliterated past, a personal remembrance becomes the saga of people dislocated by revolution and war. Horowitz survives the revolution by playing to proletarian audiences, and eventually defects to the West to pursue a life in the public eye, with all the stresses and material benefits that brings. His erstwhile rival chooses a life of anonymity in the small Parisian suburb of Chatou and works for the now-defunct record manufacturer Pathé-Marconi, ironically one of the recording companies that made Horowitz famous. To the horror of his august mother, he marries a poor, uneducated actress who becomes the love of his life, has a son, surrounds himself with a motley group of friends, and weathers the vicissitudes of a menial life.

Along the way, Dimitri continues to play the piano, often putting one of Horowitz's records on the phonograph and playing along with the recording. That he is a talented pianist is without question; that he is the equal or superior of Horowitz is the drumbeat of the redoubtable Anastasie, Dimitri's mother, whose frustration with her reduced circumstances is magnified as her son refuses to pursue the life she would have for him. Dimitri's young son Ambroise grows up hearing the music of the household and listening to stories of Horowitz's triumphs around the world, as his grandmother feeds him press clippings and pays him to apprise his father of every notable event in the virtuoso's life. Like his mother, Ambroise adores his father but lives in his shadow, and his narration is more a loving testimony to his father than a means of conveying his own point of view.

In the interview included in this edition, we learn that the story is based on the lives of the author's father and grandfather. Ambroise is based on Salatko's father, a physician, whose own father was Horowitz's contemporary and fellow student at the Kiev conservatory. The two men led very different lives, by choice, each with its pros and cons. Horowitz, though celebrated throughout the world, was tense and unhappy most of his life. He worried that he would lose his ability to dazzle an audience and fall back into obscurity. He lived in constant fear that Soviet agents would kidnap him or sabotage his Steinway. His marriage to Arturo Toscanini's daughter Wanda was troubled, and his relationship with his daughter Sonia was so distant that he chose not to attend her funeral when she died tragically in 1975. In spite of repeated triumphs on stage after stage, his career was interrupted several times over the years for treatment of depression in exclusive Swiss clinics.

In contrast, we assume that Salatko's grandfather, like Dimitri, had a wife and son who adored him and close friendships that sustained him. But what of his decision to live a life of obscurity instead of challenging Horowitz's domination of the concert stage, as he had as a student? Was his life ultimately more successful because of the relationships he forged or did he simply allow a remarkable talent to go to waste because of a lack of motivation or drive? We will leave you to ponder these questions as you read this warm, affecting book in which the author so adroitly mixes fact and fiction.

G.H.

Alexis Salatko

Horowitz et mon père

Roman

À mon grand-père et à mon père, dont les souvenirs ont inspiré ce travail romanesque.

TSF   radio set; *TSF* stands for *Télégraphie Sans Fil,* or wireless
     telegraphy

Valses   Waltzes

Lipatti   Dinu Lipatti (1917–1950), gifted Romanian classical
  pianist whose life was cut short by Hodgkin's disease

Serge GAINSBOURG   (1928–1991) iconic 20th-century French
  singer-songwriter, actor, and director. Like the narrator's parents
  in this story, his mother and father fled the Bolshevik uprising
  in 1917 and settled in Paris.

J'adorais Scarlatti, Brahms, Schumann que mon père me faisait écouter sur une vieille **TSF** et il n'était pas question d'écouter autre chose que de la musique classique. J'aimais beaucoup Chopin, pas les **Valses**, mais les Nocturnes, les Préludes et par-dessus tout les Études. Je les aimais par **Lipatti** et surtout par Horowitz. Ça, c'était le génie du siècle, Horowitz.

Serge GAINSBOURG

assister attend

Dimitri Dimitri Radzanov, the narrator's father

n'en avait plus pour longtemps didn't have much longer to live

Je venais d'avoir I had just turned

auteur de mes jours my father (*literally:* the author of my days)

avait tenu à ce que *in effect:* had been determined that

fasse study, practice

par acquit de for the sake of

avait dû être témoin must have been a witness to

Garde blanche White Guard, White Army; Russian forces loyal to the Czar who fought against the Bolshevik Red Army in the Russian Civil War (1917–22)

éventrés disemboweled

jonchaient were strewn along

Denikine Anton Ivanovich Denikin (1872–1947), Russian army general who led the White Guard

perdaient pied lost their footing

luttant fighting

ayant fait long feu having become threadbare

entortillés wrapped themselves up

charpie tattered cloth, rags

momies mummies

loups wolves

n'importe où anywhere

à la belle étoile under the stars, out in the open

moins minus

à tour de bras with all their might/strength

orteils noircis blackened toes

membres limbs

remuer moving

aube dawn

crépuscule dusk

branlée thrashing

* All words and expressions are translated according to context.

En janvier 1953, je décidai d'emmener mon père à New York pour **assister** au jubilé d'Horowitz à Carnegie Hall. **Dimitri n'en avait plus pour longtemps**. Ce voyage serait la dernière occasion d'être ensemble et d'approcher le dieu Horowitz qui avait si grandement marqué mon enfance.

Je venais d'avoir 22 ans. Je rêvais de faire du théâtre, comme ma mère, décédée quelques années plus tôt. Toutefois, l'**auteur de mes jours avait tenu à ce que** je **fasse** médecine et, **par acquit de** conscience, je me forçais à assister aux séances de dissection.

Pour me donner du courage, je songeais à toutes les atrocités dont Dimitri **avait dû être témoin** à l'époque où il servait dans la **Garde blanche**.

Des cadavres **éventrés jonchaient** la route de l'armée disloquée de **Denikine**. Les jeunes volontaires, dont papa faisait partie, **perdaient pied** dans la neige en **luttant** contre le blizzard. Leurs beaux uniformes **ayant fait long feu**, ils s'étaient **entortillés** de la **charpie** autour des oreilles et du nez. J'imaginais cette longue cohorte de **momies** fuyant à travers des forêts infestées de **loups**. Ils bivouaquaient **n'importe où**, couchant **à la belle étoile** par des **moins** vingt degrés. On amputait **à tour de bras** des **orteils noircis**, des **membres** gangrenés. Mon père avait eu la chance de conserver ses mains. Son secret : **remuer** les doigts de l'**aube** au **crépuscule**. Pianiste accompli, il jouait Chopin « dans ses poches ! » Il n'avait que 17 ans. Et déjà sa vie d'homme avait commencé. Sur une mémorable **branlée**.

me fendait les tympans broke my eardrums
tranchante sharp
peintre héraldiste heraldist, painter of coats of arms
Vevey Swiss town on Lake Geneva, between Lausanne and Montreux
Léman the French name of Lake Geneva
préceptrice tutor, teacher
floue vague
titulaire holder, bearer
charge de travail workload
bonne pâte good fellow
bague *here*: wedding ring
naquirent were born
fonctionnaire civil servant
mollement slackly
accoudé leaning on his elbows
trône sits enthroned
bambin little child
bouclés curly
allongée elongated
à part except for
à se moucher le nez made for nose-blowing
chevelure frisée head of curly hair
houppe tuft
front forehead
un tantinet moqueur a bit mocking
se laissait aller allowed herself
« mon chou » "my darling" (*literally*: "my cabbage")
piment spice
élans outbursts
tantôt sometimes
courgette zucchini
l'intéressée the interested party, *i.e.,* the narrator's grandmother
légumier vegetable
tiers a third party
haute lofty
rang rank
insouciante carefree

« Nous faire ça à nous ! » La voix de ma grand-mère **me fendait les tympans**, aussi **tranchante** que le scalpel en train d'inciser les cadavres d'école. Par ce « nous » outragé, elle désignait les Radzanov uniquement, transformant une défaite historique en offense personnelle.

Française de naissance. Fille d'Augustin Moulinier, **peintre héraldiste**, elle avait passé une partie de son enfance à **Vevey**, sur les bords du **Léman**. Attirée par les langues étrangères, elle avait appris le russe et le polonais. À 18 ans, elle avait migré en Ukraine pour y exercer le métier de **préceptrice**.

À Kiev, elle fit la connaissance de Sergueï Radzanov, qui travaillait dans l'administration où il devait exercer une activité assez **floue**, dont le **titulaire** tirait une importance inversement proportionnelle à sa **charge de travail**. Cette **bonne pâte** se laissa mettre la **bague** au doigt par l'autoritaire Anastasie. De leur mariage **naquirent** à treize mois d'intervalle deux garçons, Fédor et Dimitri.

Une des rares photos que je possède de mon grand-père **fonctionnaire** le montre debout, **mollement** accoudé à un fauteuil où **trône** ma grand-mère, tenant fermement un **bambin** de 4 ou 5 ans portant une robe et des cheveux **bouclés** et qui doit être mon oncle Fédor.

Sergueï a la figure **allongée**, des traits fins, **à part** un nez un peu fort, que les Radzanov se transmettent de génération en génération. Un nez **à se moucher le nez**, comme dit mon père. Il porte une fine moustache et une **chevelure frisée** formant une **houppe** sur un très large **front**. Il a le regard doux et **un tantinet moqueur**.

Dans les premiers temps de leur idylle, ma grand-mère **se laissait aller** à l'appeler « **mon chou** », expression banale pour un Français, mais qui pour un Russe ajoutait sûrement du **piment** à l'amour. En retour, et comme pour répondre à ces **élans** de tendresse, il l'appelait **tantôt** « carotte », tantôt « courgette », ce qui plaisait modérément à **l'intéressée**, surtout quand ce prénom **légumier** lui était attribué en présence de **tiers**. Depuis qu'elle enseignait à l'Institut des jeunes filles nobles, ma grand-mère avait une **haute** idée de sa personne. Nous devions tenir notre **rang** !

La vie, pour les deux frères, commençait donc sous les meilleurs auspices. Ils menaient à Kiev une existence **insouciante** mais

bride serrée tight rein

cour court, entourage

adulaient fawned over

nombril *here:* center; *literally:* navel

se la coulait douce took life easy

lutinant taking liberties with

cependant que while

rutilant gleaming

se réunissaient gathered

dit known as

aînée elder

rayonnement radiance

tonton (*familiar*) uncle

Montrouge town in the southern suburbs of Paris

petite main seamstress

Poiret Paul Poiret (1879–1944), French fashion designer

pour la plus grande déception to the utter dismay

portait aux nues praised to the skies

veillant à ce qu' seeing to it that

se flétrir fade, wither

dons gifts

bocks glasses of beer

coups de knout cracks of the whip

ne filaient pas droit strayed from the straight and narrow

condisciple classmate

à l'instar de much like

bouffe l'écran steals the limelight (*literally:* eats the screen)

À ses côtés At his side

gringalet a weakling

éléphanteau baby elephant

valu earned

surnom *here:* nickname

Face de Chou "Cabbage Face" (a term that will be used throughout the novel to refer to Horowitz)

Mitia Dimitri

enfoncerait would crush

studieuse, car ma grand-mère leur tenait la **bride serrée**. Entourée d'une **cour** de grandes élèves qui, paraît-il, l'**adulaient**, elle était le **nombril** incontesté de ce petit monde. Dans son ombre, mon grand-père apparemment **se la coulait douce**. Je n'ai aucune idée de ce que pouvaient être ses goûts, mais il me plaît de l'imaginer **lutinant** de jolies servantes **cependant que** la hautaine Anastasie paradait sur la Vulitsva Kreshchatyk – les Champs-Élysées de Kiev – où elle répondait avec une grâce un peu infatuée aux saluts respectueux des passants. J'imagine aussi que régulièrement, au salon, autour d'un samovar **rutilant**, **se réunissaient** quelques amis, comme M. Sternberg et, dès son arrivée en Russie, mon grand-oncle Alfred, **dit** Freddy, venu sur les conseils de sa sœur **aînée** participer au **rayonnement** de la langue et de la culture françaises dans ce milieu très francophile. Peu avant son voyage en Russie, **tonton** Freddy avait épousé à **Montrouge** une certaine Ursuline – **petite main** chez **Poiret** – **pour la plus grande déception** d'Anastasie qui considérait ce mariage comme une mésalliance.

Dimitri allait à l'école et travaillait sérieusement le piano au Conservatoire. Quant à son frère aîné, Fédor, il avait des talents de danseur qui faisaient de lui l'organisateur obligé des bals de la bonne société. Évidemment, ma grand-mère **portait aux nues** ses deux fils, **veillant à ce qu'**ils ne laissent pas **se flétrir** leurs **dons** respectifs. Les frères Radzanov étaient inséparables. Ils partageaient tout : les filles, les **bocks**, les **coups de knout**. Quand ils **ne filaient pas droit**, Stasie les traitait comme des serfs.

Au Conservatoire de musique, Dimitri avait pour **condisciple** un certain Vladimir Gorovitz. Sur une vieille photo de classe datant de 1915, on ne remarque vraiment que mon père, qui, **à l'instar de** certains acteurs, **bouffe l'écran**. **À ses côtés**, petit, **gringalet**, avec ses oreilles d'**éléphanteau** qui lui avaient **valu** le **surnom** de Face de Chou, le jeune Gorovitz fait pâle figure. Pour Anastasie, en tous les cas, il n'y avait aucun doute : son **Mitia** était le premier et le meilleur. Il les **enfoncerait** tous !

Des années plus tard, elle me décrirait cette façon qu'il avait de

foudre lightning
ouistiti monkey
s'évertuait did his utmost
singer ape, mimic, imitate
à mi-pente halfway up the hill
couac wrong note
corser la joute spice up the battle
enduire coat
touches keys
passes d'armes skirmishes
débarquant alighting
écus shields
valaient leur pesant were worth their weight
cacahuètes peanuts
piquait hit
ouragan des steppes "tornado from the steppes", *i.e.,* Horowitz
Mou Weak
terre battue clay court
hissait hoisted up
arbitre referee
vicelard knave
revanche revenge
sifflant blowing the whistle on
blasons coats of arms
vue imprenable unobstructed view
béguin infatuation
se heurta à came up against
avait la cote was popular
chic flair
se faire plaindre et dorloter getting himself pitied and pampered
aile wing
railler mock
fayot creep, toady
mal embouchée foul-mouthed
regard par-dessous underhand look
se frisait curled
s'en sortirait would pull through, would get by

se mettre en transe pour entrer en communion avec les dieux de la musique. Il faisait tomber la **foudre** sur le clavier. Toujours aux dires de ma grand-mère, Gorovitz n'était qu'un sale petit **ouistiti** qui s'évertuait à **singer** les effets de Mitia. À cette époque, les deux garçons se battaient en duel dans le salon des Radzanov, au premier étage d'un immeuble administratif situé **à mi-pente** de la rue Saint-Alexis. Leur arme était bien sûr le piano. Ils se battaient non point au premier sang, mais au premier **couac**, et, pour **corser la joute**, il leur arrivait d'**enduire** les **touches** de savon noir. Autant dire que mon père sortait toujours vainqueur de ces vertigineuses **passes d'armes**.

D'autres photos les montrent **débarquant**, une raquette sous le bras, sur le quai de la gare de Vevey. Ils allaient passer leurs vacances en Suisse, chez le père d'Anastasie, peintre d'**écus**.

Nous sommes au printemps 1916. Il y a là Fédor, mon père et Face de Chou, accompagnés de jeunes beautés russes, également élèves du Conservatoire. Les parties de tennis **valaient leur pesant** de **cacahuètes**. Pas sportif pour un sou, Gorovitz ne **piquait** pas une balle. L'**ouragan des steppes**, sur un cours, c'était petite brise. **Mou** du genou, il disparaissait dans un nuage de **terre battue**. On le **hissait** sur la chaise d'**arbitre** et, là, ce petit **vicelard** prenait sa **revanche** en **sifflant** des fautes de pied imaginaires.

Cette jeunesse logeait dans le chalet de l'arrière-grand-père, empli de tout un bric-à-brac de **blasons**, avec **vue imprenable** sur le Léman. Parmi les filles, il y en avait une qui se détachait par sa beauté et son talent. Olga. Elle était violoniste. Mitia avait le **béguin**, mais il **se heurta à** un obstacle inattendu : Face de Chou. Par le plus grand des mystères, ce dernier **avait la cote** auprès du beau sexe. Il avait le **chic** pour **se faire plaindre et dorloter**. Olga l'avait pris sous son **aile** et, aux yeux de Mitia, cette protection rapprochée avait quelque chose d'obscène. Il ne manquait jamais une occasion de **railler** son rival. La violoniste prenait la défense du petit **fayot**, traitant mon père de brute **mal embouchée**. Gorowitz, avec son **regard par-dessous**, **se frisait** les moustaches. Ce gars-là, expliquait ma grand-mère, avait l'art de renverser les situations les plus défavorables. Il **s'en sortirait** toujours. Ce devait être son sang juif.

lequel who
éblouissante dazzling
piolets picks
ascensionnant climbing
siégeait sat
s'attendre au pire expect the worst
ex æquo tied for first place
siècle century
mit fin à put an end to
dorée golden
quoi que ce soit anything whatsoever
l'heure n'est pas au calcul there is no time to waste
devoir duty
foncé charged forth
patati patata and so on and so forth
se livraient were engaged
sac sacking
invalidante disabling
d'effacer of erasing
fortuite fortuitous
de fonction granted to civil servants
rictus grin, grimace
coups blows
crosse de fusil rifle butt
s'éteignait passed away
verstes Russian measure of distance (=1,064 meters)
haine hatred

à la fois at the same time
prirent part took part
à liseré framboise with raspberry-colored binding
consacrées devoted
emplissait filled
aussitôt immediately

Au concours de sortie du Conservatoire, Gorowitz s'était montré brillant, mais moins toutefois que Mitia, **lequel** tenait une forme **éblouissante**. Des doigts comme des **piolets ascensionnant** l'himalayenne sonate *Hammer-klavier* de Ludwig van Beethoven. Or, dans le jury, **siégeait** la fameuse Olga. On pouvait **s'attendre au pire**. Cependant, les deux garçons finirent **ex æquo**. Ce qui, pour ma grand-mère, constituait le scandale du **siècle**.

La Révolution **mit fin à** cette période **dorée**. Les frères Radzanov s'engagèrent comme volontaires dans la Garde blanche. Personne ne leur avait demandé **quoi que ce soit**, surtout pas ma grand-mère, qui des années plus tard me raconterait l'histoire à sa façon : « Nous n'avions pas d'autre choix. Quand la patrie est en danger, **l'heure n'est pas au calcul**. N'écoutant que notre **devoir**, nous avons **foncé** tête baissée. Et si c'était à refaire, **patati patata**… »

Au moment où les Rouges **se livraient** au sac de Kiev, mon grand-père avait été victime d'un accident vasculaire cérébral. Il en conserverait une paralysie faciale **invalidante** qui se traduirait notamment par une impossibilité **d'effacer** de ses lèvres un sourire d'une insolence aussi **fortuite** qu'irrépressible. Lors de l'irruption des révolutionnaires dans leur appartement **de fonction**, il paierait cher ce **rictus** qui passait pour de la provocation. On l'avait précipité à **coups** de **crosse de fusil** dans l'escalier, sous les yeux horrifiés de ma grand-mère ; et, quelques jours plus tard, après une lente agonie, l'inoffensif Sergueï Radzanov **s'éteignait** à l'âge de 55 ans, cependant qu'à des **verstes** de là ses deux fils, unis dans la même **haine** du communisme, défendaient avec toute l'énergie du désespoir une cause perdue d'avance.

Mon père parlait peu de cette période **à la fois** désastreuse et héroïque. Je ne sais à quel combat d'arrière-garde Fédor et lui **prirent part** durant les deux années passées sous l'uniforme blanc **à liseré framboise**. Plus tard, dans les rares conversations **consacrées** au sujet, mon père citerait seulement des noms de lieux aux consonances énigmatiques : Karpova Breka, Gallipoli. Villes ou champs de bataille que mon imagination **emplissait aussitôt** du tonnerre des explosions

lueur glow

hôpital de campagne field hospital

poignée handful

mencheviks members of a more moderate faction in the Russian
  Social Democratic Workers' Party

laminés crushed, diminished

joues hâves gaunt cheeks

en lambeaux in tatters

carré military configuration for confronting the enemy on four sides

en bataille disheveled

une allure de trompe-la-mort looking like death warmed over

biens belongings, possessions

Sébastopol a port city in Crimea (today part of Ukraine) and a
  main point of embarkation for emigrants

devait mourir was fated to die

éprouvante trying, tiring

pouilleux louse-infested

marmots kids

croiseur *Aurore* naval cruiser, manned by Bolshevik sailors, whose
  firing of a blank shot at the Winter Palace signaled the start of
  the Bolshevik Revolution in October 1917

Atterrir To land

logeuse landlady

Poule Hen

poulailler henhouse

s'entassaient crowded together, piled up

rescapés survivors

fastes pomp, splendor

dégringolade tumble, fall

baisser les bras give up (*literally:* lower her arms)

passés au travers escaped, made it across

en démordrait would let go of it

Peu importaient Little did it matter

mettre au clou pawn

de seconde main secondhand

roue wheel of fortune

soi-disant supposedly

et de la haute **lueur** des incendies. Une photo prise dans un **hôpital de campagne** le montre entouré d'une **poignée** de **mencheviks laminés**, aux **joues hâves**, aux tuniques **en lambeaux**, formant le dernier **carré**. Là encore, on ne voit que lui, les cheveux **en bataille**, **une allure de trompe-la-mort**, tenant de la main gauche une cigarette tournée vers la paume.

Les armées blanches ayant capitulé, mon grand-père étant mort et tous leurs **biens** ayant été confisqués, ma grand-mère et papa gagnèrent **Sébastopol** d'où ils s'embarquèrent pour la France, exil rendu possible par la nationalité française d'Anastasie. C'était en 1923. Fédor, qui était marié, resta à Kiev où il **devait mourir** en 1924 du fameux typhus ravageant la toute nouvelle Union soviétique.

Après trois semaines de traversée **éprouvante**, Anastasie et Dimitri, sales et **pouilleux**, sans ressource, retrouvèrent dans la région parisienne tonton Freddy, lequel avec ses trois **marmots** était rentré en France dès les premières canonnades du **croiseur** *Aurore*.

Atterrir à Montrouge quand on a servi deux ans dans la Garde blanche, quelle ironie de l'Histoire. La **logeuse** d'Alfred s'appelait madame **Poule** et c'était bien dans un **poulailler** que **s'entassaient** les sept **rescapés**. Pour ma grand-mère, habituée aux « **fastes de la grande cour** », ce fut une terrible **dégringolade**. Toutefois, elle n'était pas femme à **baisser les bras**. N'avaient-ils pas réussi à s'en sortir malgré tout ? S'ils étaient **passés au travers**, ce n'était pas par hasard, mais parce que Dimitri était promis à un destin d'exception. De cela, Stasie n'**en démordrait** jamais. **Peu importaient** les difficultés matérielles. Ce qui comptait, c'était que son fils devînt un brillant concertiste. Elle n'hésita pas à **mettre au clou** ses derniers bijoux pour lui offrir un piano, certes de **seconde main**, mais son talent lui permettrait d'en acquérir un bien meilleur quand la **roue** aurait tourné.

De ces années-là, je n'ai guère de détails. De quoi vivait la petite colonie ? Tonton Freddy travaillait à l'Opéra-Comique. Il était **soi-disant** responsable de la machinerie, mais on le soupçonnait de

écumer les bistrots floating from bar to bar, bar-hopping
cintres rafters
cousait sewed
lui allait comme un gant fit her like a glove
cantatrices singers
perruques poudrées powdered wigs
sordido-féerique magically sordid
coffre voice box
à tue-tête at the top of his lungs
grand air de Faust et Marguerite duet from Gounod's opera *Faust*
déchue fallen from grace
fourrait stuck, placed
indigne unworthy
les serviettes et les torchons the bath towels and the kitchen towels
aménagé fitted out
cabanon shed, hut
octaves scales
basse-cour farmyard
pétaudière place of bedlam and disorder
chimie chemistry
Arts et Métiers the Conservatoire National des Arts et Métiers
sur le tard later in life
assises à huis clos meetings in secret/behind closed doors
champignonnière cellar for cultivating mushrooms
groupuscule cavernicole tiny cave-dwelling group
machine infernale *i.e.,* time bomb, explosive device
chauve et barbichu bald and goateed
les siens his friends, his kin
butte hillock
désargentés broke
Marcel Aymé...Destouches Marcel Aymé (1902–1967), author;
    Gen Paul (1895–1975), expressionist painter and engraver; Louis-
    Ferdinand Destouches (pen name Céline, 1894–1961), doctor and
    author of *Voyage au bout de la nuit* (*Journey to the End of the Night*)
champêtres rustic, rural
de la grisette au bas-bleu from working-class girls to literary types
Pigalle Paris neighborhood known for cabarets like the Moulin Rouge

passer plus de temps à **écumer les bistrots** des Grands Boulevards qu'à faire l'acrobate en haut des **cintres**! Quant à Ursuline, elle **cousait** à domicile les costumes de scène! On l'avait surnommée «Doigts d'Or»! Ce sobriquet **lui allait comme un gant.** J'imagine le «poulailler» de Mont-rouge débordant de robes de **cantatrices** et de **perruques poudrées** et, au milieu de ce décor **sordido-féerique,** Freddy (qui avait un **coffre** de baryton) chanter **à tue-tête** le **grand air de Faust et Marguerite**! Ma grand-mère donnait probablement des cours de langues. Bien que ruinée et **déchue,** elle conservait ses manières aristocratiques et **fourrait** dans le même sac son **indigne** belle-sœur et madame Poule. Pour elle, la fracture sociale était irréductible : on ne mélangeait pas **les serviettes et les torchons**!

Dimitri travaillait son piano dans la journée. On lui avait **aménagé** un «salon de musique» dans un **cabanon** au fond du potager et il devait couvrir de ses **octaves** les bruits de la **basse-cour**, car de vrais animaux complétaient cette **pétaudière.** Le soir, il suivait des cours de **chimie** aux **Arts et Métiers.**

Tonton Freddy me révéla **sur le tard** que son neveu fréquentait dans le plus grand secret une organisation terroriste qui tenait ses **assises à huis clos** dans une ancienne **champignonnière** transformée en cave à vins au 26, rue des Officiers, à Carrières-sur-Seine. L'objectif de ce **groupuscule cavernicole** était clair : assassiner Lénine et replacer le tsarévitch sur le trône. Papa apprenait donc la chimie dans l'unique dessein de fabriquer la **machine infernale** qui transformerait en steak tartare le tyran **chauve et barbichu.** «S'il n'avait pas rencontré ta mère, achevait tonton Freddy, ton père serait peut-être devenu l'un des plus grands criminels de l'histoire moderne!»

Chaque dimanche, Alfred et **les siens** se rendaient sur la **butte** Montmartre, où se réunissait une communauté d'artistes bohèmes et **désargentés**, mais dopés à la joie de vivre. Il y avait là **Marcel Aymé**, **Gen Paul**, le **docteur Destouches** et Charlie Flag qui allait devenir le meilleur ami de papa. Pas mal de filles fréquentaient ces lieux encore **champêtres**, cela allait **de la grisette au bas-bleu** en passant par la danseuse de **Pigalle.**

arrosée where the alcohol flowed freely

comédienne actress

bastringue dance-hall, honky-tonk

comme une savate clumsily, very poorly

au pied levé off the cuff

émacié emaciated

en aile de corbeau balayant like a raven's wing sweeping across

s'étonna asked with surprise

cavalier dancing partner

coup de foudre love at first sight

passant outre paying no heed to

bru daughter-in-law

sosie d' Arletty look-alike of Arletty (1898–1992), French actress
  perhaps best known for her performances in Marcel Carné's *Les
  Enfants du Paradis* and *Hôtel du Nord*

Grande Guerre World War I

pêche fishing

Sète...Narbonne cities in southern France

je n'ai jamais trop su I never really knew

grippe espagnole Spanish flu

soutenir maintain

instruction education

belle-mère mother-in-law

rédhibitoire unacceptable

lèse-Anastasie the insulting of Anastasie, a play on *lèse-majesté*

artificier pyrotechnist, bomb maker

supplié beseeched

dément insane

péter blow up

ne se fit pas beaucoup prier didn't need much persuading

complot plot

éventé discovered, gotten wind of

dissoute dissolved

hémiplégie partial paralysis (resulting from a stroke)

cassé sa pipe kicked the bucket

Au cours d'une partie de campagne très **arrosée**, Dimitri avait rencontré Violette, une apprentie **comédienne** de 17 ans. Il y avait un piano **bastringue**, mais le pianiste jouait **comme une savate**. Alfred proposa que son neveu le remplace **au pied levé**. À ce tournant de sa vie, mon père a tout à fait l'allure d'un démon de Dostoïevski : pâle et **émacié**, regard fiévreux, cheveu **en aile de corbeau balayant** son large front, il plaît à ses nouveaux amis résolument marginaux. Alors qu'il jouait *Le Beau Danube bleu*, Violette le dévorait des yeux.

– Vous ne dansez pas ? **s'étonna**-t-il.

– Impossible ! répondit-elle. Mon **cavalier** a les mains occupées ! Ce fut le **coup de foudre**.

Au printemps 1925, mes parents se marièrent, **passant outre** le veto de ma grand-mère qui détesta aussitôt sa **bru**. Mon père avait pour témoin Charlie Flag, et ma mère, Évelyne Lambert, une actrice, **sosie d'Arletty**.

Ma mère était une Méditerranéenne, très gaie mais aussi très réservée. Son père était mort à la **Grande Guerre**. Sa mère et sa grand-mère avaient repris la boutique d'articles de **pêche à Sète** ou à **Narbonne, je n'ai jamais trop su**. Elles avaient succombé à la **grippe espagnole**. Ni frère ni sœur. Ni oncle ni tante. Comment débarqua-t-elle à Paris, je ne sais pas non plus, mais j'ai toujours entendu papa **soutenir** qu'elle y était venue pour lui. Maman n'avait pas d'**instruction**, ce qui constituait aux yeux de sa **belle-mère** un défaut **rédhibitoire**, aggravé par ce crime de **lèse-Anastasie** : « Elle m'a pris mon fils ! »

Un événement marquant intervint à cette période : mon père obtint du travail. Maman avait découvert ses folies d'**artificier** et l'avait **supplié** de passer son diplôme dans un but moins **dément** que de faire **péter** Lénine. Il **ne se fit pas beaucoup prier**, le **complot** ayant été **éventé**, et la société secrète de la rue des Officiers, **dissoute**. Surtout Vladimir Ilitch, frappé d'**hémiplégie**, avait **cassé sa pipe** à Nijni-Novgorod, laissant le champ libre au camarade Joseph Staline.

Délivré de ses penchants subversifs, papa entra donc aux

usines factories

Pathé-Marconi French record company, founded in 1896 as the Société Pathé Frères. Nobel-Prizewinning Italian physicist Guglielmo Marconi (1874–1937) was known for his work in wireless communications.

Chatou town located on the banks of the Seine, just west of Paris

galvanoplastie electroplating

Alfred Cortot (1877–1962) Swiss pianist and conductor

faire parler de lui get himself talked about

levier lever

Changeant son fusil d'épaule Trying a new tactic (*literally:* Switching her rifle to the other shoulder)

vouait aux gémonies vilified

du jour au lendemain overnight

se servir du to use

lièvre hare

courir run

piquer l'orgueil stinging the pride

empêcheuse de jouer en rond troublesome woman

évadé escaped

Jeanne Dubost Parisian patroness of the arts

félicité congratulated

tinter ring

dignes worthy, deserving

eût dit might have said

visant à aiming to

amadouer appease

aiguillon spur, stimulus

blairer stand

simili fake

asticots maggots

tirée pulled

ruisseau gutter

usines **Pathé-Marconi** de **Chatou**. Nommé responsable de la **galvanoplastie**, il allait fabriquer des disques pour **Alfred Cortot**, Dinu Lipatti et un certain Vladimir Horowitz qui commençait à **faire parler de lui** sur la scène européenne.

Ma grand-mère, qui n'avait pas renoncé à ses rêves de gloire, trouva là un merveilleux **levier**. **Changeant son fusil d'épaule**, elle qui **vouait aux gémonies** l'ex-rival de papa au Conservatoire de Kiev devint, **du jour au lendemain**, sa première admiratrice. Elle allait **se servir du** «**lièvre** Horowitz» pour faire **courir** papa. Son calcul consistait à **piquer l'orgueil** de Dimitri pour le détacher de sa femme – cette **empêcheuse de jouer en rond** – et le ramener *allegro vivace* vers son piano.

Elle se mit à collectionner tous les articles de presse relatant les exploits du jeune prodige ukrainien. Nous étions en 1926 et Horowitz, récemment **évadé** de la «maison rouge», se lançait à la conquête de Paris.

– Écoute ça, Mitia, il a donné un concert privé dans le salon de **Jeanne Dubost**… Il a joué *Oiseaux tristes* et *Jeux d'eau* de Ravel en présence du compositeur lui-même qui l'a chaudement **félicité**… Le 12 février et le 12 mars, il sera à la salle de l'ancien Conservatoire… Le 24 mars à Gaveau, le 30 mai à la salle des Agriculteurs…

– Vous connaissez Horowitz? s'étonna ma mère.

– Non, mademoiselle, Horowitz NOUS connaît!

Pauvre maman! Elle n'avait pas fini d'entendre **tinter** ce «nous» redondant et élitiste l'excluant du cercle des gens **dignes** de partager l'air des Radzanov. Que n'aurait-elle fait pour entrer dans les bonnes grâces d'Anastasie? Mais on **eût dit** que chacun de ses gestes **visant à amadouer** la dragonne agissait comme un **aiguillon** excitant encore plus l'ire de celle-ci. Elle ne pouvait pas **blairer** cette **simili**-actrice, fille et petite-fille de marchands d'**asticots**, lui refusant le statut de personne civilisée et la traitant pire que si Dimitri l'avait **tirée** du **ruisseau**.

D'ailleurs elle parlait russe à son fils, lequel lui répondait en français, refusant d'entrer dans son jeu.

– Exprime-toi normalement, maman, je te prie, et réponds lorsque Violette te pose une question.

fréquentait frequented, visited

bouleversements upheavals

se souvienne de remembers

emménager to move in

HLM *Habitation à loyer modéré:* rent-controlled or low-rent housing subsidized by the French government

étape par étape step by step

tournée concert circuit, tour

palais Garnier Paris Opera house

rappel curtain call

émeute riot

se bousculait jostled each other

se piétinait trampled on each other

Rubinstein Arthur Rubinstein (1887–1982), celebrated Polish-American pianist, not to be confused with Anton Grigorevich Rubinstein (1829–1894), Russian pianist, composer, and conductor with whom the former has no family relation

déchirée torn

bleu bruise

fesse buttock

si je mens I swear, cross my heart

greluchon gigolo

dépassés overtaken, surpassed

niveau level

appartenait belonged

effacer to blot out

Luna-Park early 20th-century amusement park in Paris

vieille old woman

à la faux holding a scythe

jaillissait sprang out

se serrait contre squeezed closer to

à la charge charging in

contant telling

feuilleton serial drama

trame plot

– Disons qu'Horowitz **fréquentait** mes fils. Nous étions de Kiev et lui de Berdichev et c'était toujours une joie pour ce pauvre garçon d'échapper à sa banlieue pour venir jouer à la maison. Mais, bien entendu, avec le temps et tous ces bouleversements, pas sûr qu'il se souvienne de nos duels musicaux et de nos vacances sur les bords du Léman.

Grâce au salaire qui tombait maintenant régulièrement, le « trio infernal » avait pu **emménager** à Chatou dans une petite **HLM** en briques rouges située au 4, rue Ribot. Les concerts d'Horowitz avaient ceci de bon qu'ils délivraient pour quelques heures le couple de l'importune belle-mère. En tant que « professionnel de la profession », tonton Freddy n'avait eu aucun mal à obtenir des places, et Anastasie avait pu suivre **étape par étape** la **tournée** parisienne jusqu'à son apothéose, le 14 décembre, au **palais Garnier**. Un triomphe. Au septième **rappel**, Horowitz avait joué ses *Variations sur un thème de Carmen*. L'enthousiasme du public avait tourné à l'**émeute**. On **se bousculait**, on **se piétinait** pour toucher le nouveau **Rubinstein**. La police avait dû faire évacuer la salle. Ma grand-mère était revenue avec sa robe **déchirée** et un énorme **bleu** sur la **fesse** droite, qu'elle exhibait à toutes et à tous comme la preuve tangible d'un authentique miracle musical.

– Tenez, touchez **si je mens**. Ce n'est plus un **greluchon**, il a mûri, il s'est développé et je mentirais, en disant qu'il n'a pas progressé. Si nous n'y prenons garde, il nous aura bientôt **dépassés**. Il faudrait pour revenir à son **niveau** reprendre sérieusement le piano.

Or, mon père refusait de répondre aux sollicitations maternelles. Tout cela, c'était de l'histoire ancienne. Horowitz **appartenait** à un fragment de sa vie qu'il souhaitait **effacer** de sa mémoire. Il préférait emmener ma mère à **Luna-Park**. Ils prenaient le train fantôme et, chaque fois que la **vieille à la faux jaillissait** des ténèbres, maman **se serrait contre** papa qui adorait ça.

Ma grand-mère n'allait pas renoncer à son plan et régulièrement reviendrait **à la charge** en nous **contant** les dernières aventures du maestro sous forme d'un **feuilleton** dont je connaîtrais bientôt par cœur la **trame** luminescente.

vins au monde came into the world

deux-pièces two-room apartment

chauffage heating

boîte de harengs tin of herring, a favorite dish in Russian cuisine;
    refers to the tight space of the apartment located on rue Ribot

pénible difficult, painful

mise à part aside

sa fierté et son ravissement his pride and his delight

chair flesh

chirurgien surgeon

claironnait trumpeted

vestiaires coatrooms

Vésinet wealthy suburb of Paris

il n'y en avait plus que pour nothing else mattered besides

lardon qui guérirait kid who would heal

arrêtées set, fixed

tenait de took after

mordicus obstinately

mauvaise foi bad faith

se russifia made herself more Russian

dur de la feuille hard of hearing

comme une vache espagnole poorly, making many errors
    (*literally*: like a Spanish cow)

peinturlurée heavily made up, wearing brightly colored makeup

Kikoïne Michel Kikoine (1892–1968), Belarus-born painter

rocailleuse hoarse, harsh

toux agaçante annoying cough

réchauffés too warm

chair de poulet goosebumps. The correct expression is *chair de poule.*

coquet charming

arpent de terrain acre of land

pente douce gentle slope

rejetons offspring

sort fate

oisillons little birds

trouvaille find

Je **vins au monde** le 25 septembre 1931 dans le **deux-pièces** sans **chauffage** de la rue Ribot – la **boîte de harengs** – où il était déjà si difficile de tenir à trois. Cette **pénible** promiscuité **mise à part**, je ne crois pas m'illusionner en affirmant que ma naissance fut pour mon père le plus beau jour de sa vie. Il n'avait pas de mot assez fort pour exprimer **sa fierté** et son **ravissement** face à la **chair** de sa chair. Il insista pour qu'on me prénomme Ambroise à cause d'Ambroise Paré, le célèbre **chirurgien**. Car c'était décidé avant même que je pousse mon premier cri : je serais médecin. Mon père le **claironnait** partout, à Montmartre, à l'usine, auprès de ses amis russes, dans les **vestiaires** du stade de Montesson, au tennis-club du **Vésinet**, **il n'y en avait plus que pour** son **lardon qui guérirait** le monde entier. Dimitri avait des idées **arrêtées**. Il ne changeait jamais d'avis. En ce sens, il **tenait de** sa mère. Mais il ne fallait surtout pas le lui dire, car il soutenait **mordicus** le contraire. Une **mauvaise foi** qui là encore démontrait l'omnipotence de la génétique.

Par désir de bien faire, Violette **se russifia**. Sa belle-mère l'en détesta encore plus. Maman s'habillait russe, cuisinait russe et recevait des amis russes exilés. L'un d'eux, qui travaillait aussi chez Pathé, s'appelait Nicolas Effimof. Il était **dur de la feuille**, parlait le français **comme une vache espagnole** qui aurait eu l'accent slave. Son épouse, **peinturlurée** comme un portrait de **Kikoïne**, roulait elle-même ses cigarettes. Elle avait une voix **rocailleuse** et une **toux agaçante**. Dès qu'elle arrivait, on ouvrait les fenêtres. « Eh bien, vous êtes **réchauffés** ! disait-elle. Moi, j'ai toujours la **chair de poulet**. Tenez, voyez ! » Ils habitaient à deux pas, au fond d'une petite allée, un pavillon assez coquet où l'on pénétrait en descendant deux ou trois marches. Nicolas cultivait un petit **arpent de terrain** glissant en **pente douce** vers la Seine et élevait des pigeons dont les nombreux **rejetons** allaient régulièrement rejoindre les petits pois dans la casserole. J'avais quelques regrets du **sort** réservé à ces **oisillons**, mais je les appréciais vivement dans mon assiette.

J'aimais bien Nicolas Effimof. Après l'usine, quand il ne cultivait pas son jardin, il fabriquait des objets inutiles. Sa plus belle **trouvaille**

Baiser de la Mère Patrie Kiss of the Motherland
chevet bedside
élastique rubber band
contrepoids counterweights
habilement cleverly, skillfully
relever raise
marmot kid
pencher lean, tilt
bête chou easy as pie
joyau jewel
koulibiac *in effect:* a fit (*literally:* Russian fish or meat pie)
à quoi sert what good it is, what it is for
richesse charm, specialness
flanqua aux peluches tossed into the dust pile
toute la smala the whole gang
bon train well
alimentées sustained
maîtrisait mastered
me laissais bercer let myself be rocked
mouillés palatalized
nabokoviens like characters out of a novel by Russian-American
  author Vladimir Vladimirovich Nabokov (1899–1977)
du cyrillique au latin *in effect:* from Russian to French
égard consideration, respect
brassant stirring up
entraîner sweeping up
ingénu innocent
trois mots the three words in question are : *vera* (faith), *nadezhda*
  (hope), and *lubov* (love), taken from Saint Paul's First Epistle to
  the Corinthians (13:13).

s'octroyer to win
mince affaire trifle
affublé d'un bouc decked out with a goatee
taillé trimmed

était le **Baiser de la Mère Patrie**. Un enfant dans un lit, une mère debout à son **chevet**. Un gros **élastique** et deux **contrepoids habilement** disposés permettaient de **relever** la tête du **marmot** et de faire **pencher** vers lui celle de la mère. « C'est **bête chou** ! » disait l'inventeur.

Mon père avait été le premier (et sans doute le seul) à acheter ce **joyau** d'absurdité. Ma grand-mère en avait fait tout un **koulibiac**.

– Enfin, Mitia, veux-tu nous dire **à quoi sert** cette horreur ?

– À rien. C'est ce qui fait sa **richesse**.

Il avait placé le Baiser de la Mère Patrie en évidence sur le dessus de son piano, et l'inepte symbole y trôna jusqu'au jour où mon père, en délicatesse avec L'état français, le **flanqua aux peluches**.

J'ai gardé le souvenir d'une soirée chez les Effimof où était réunie **toute la smala**. Les conversations allaient **bon train**, **alimentées** par la vodka. Maman était naturellement un peu perdue et n'avait guère que Mme Effimof, qui ne **maîtrisait** pas non plus cette syntaxe mystérieuse, pour lui tenir compagnie. Quant à moi, je **me laissais bercer** par la musique de cette langue que je n'ai jamais apprise, mais dont les *r* roulés et les *l* **mouillés**, qui en font tout le charme, me sont restés familiers.

Je revois encore ces personnages **nabokoviens**, parlant avec animation, passant parfois **du cyrillique au latin** par **égard** pour ces dames, **brassant** de grandes idées, se mettant à rêver avec grandiloquence d'un monde meilleur et capables d'**entraîner** dans leur certitude du moment le spectateur **ingénu** que j'étais.

– Le secret de la vie, disait Nicolas Effimof, tient en **trois mots** !

Ces mots magiques que je garde encore à l'oreille, il les avait prononcés tout bas, hélas, dans une langue que je ne comprends toujours pas.

Autres invités permanents : les Sternberg et les Koulikov. Ces anciens amis de Kiev savaient plaire à ma grand-mère et **s'octroyer** ses faveurs, ce qui n'était pas une **mince affaire**, on l'aura compris. M. et Mme Sternberg formaient un couple étrange. Grand, chauve, **affublé d'un bouc** à la Méphistophélès **taillé** au millimètre, le père

église Saint-Serge Orthodox church in Paris
baisemain hand-kissing
à taille d'insecte tiny as a bug
sa cadette his junior
suivante maidservant
atteinte stricken
maladie des os de verre brittle-bone disease, osteogenesis imperfecta
vouvoyait used the formal "*vous*" form of the word "you"
tutoyait used the informal "*tu*" form of the word "you"
vouait pledged
récompensée rewarded
tapes pats, light touches
appuyées pressed
lenteur saisissante gripping/captivating slowness
entrecoupant interrupting
espacés spaced out
résonner resound, ring out
rabaisser belittle
faisait d'une pierre deux coups killed two birds with one stone
mariner stew, marinate
crasse ignorance, mediocrity
faute d' for lack of
valables worthy
se ramollissait les méninges was going soft in the brain
bourbier mire, mess
redouté formidable
enchères auctions
Drouot famous Parisian auction house
défrayaient la chronique were the talk of the town
hôtel particulier townhouse
abritait housed
dès from the moment of
actions cotées shares/stocks listed
Bourse Stock Exchange
obligations bonds
gagne earns
dépense spends

Sternberg avait une voix de basse profonde, impressionnante. La basse la plus basse que j'aie jamais entendue, développée dans les chœurs de l'**église Saint-Serge**, rue de Crimée. Il pratiquait naturellement le **baisemain** et appelait ma grand-mère « Cara Mia », ce qui ne pouvait qu'entretenir de chaleureuses relations. Il avait épousé une brunette **à taille d'insecte** de vingt ans **sa cadette**, élève de « Caramia » au fameux Institut des jeunes filles nobles. Judicaël (ainsi s'appelait-elle) était une **suivante** d'une incroyable discrétion, aussi timide que fragile, **atteinte** selon ma grand-mère de la **maladie des os de verre**. Elle **vouvoyait** son mari, qui la **tutoyait**. Elle **vouait** naturellement à ma grand-mère une adoration respectueuse qui se voyait **récompensée** par de petites **tapes** affectueuses, pas trop **appuyées** tout de même étant donné l'extrême précarité du support.

M. Sternberg s'exprimait avec une **lenteur saisissante**, **entrecoupant** ses propos d'un rire curieusement sérieux, constitué d'une série de trois « Ah ! » très **espacés**, faisant **résonner** en une lente cascade des harmoniques de plus en plus graves.

AH !… AH !… AH !

Anastasie, qui ne manquait jamais une occasion de **rabaisser** ma mère, en invitant les Sternberg si fins, si cultivés, **faisait d'une pierre deux coups** : obligeant sa belle-fille à **mariner** un peu plus dans sa **crasse** intellectuelle et forçant son cher fils, qui, **faute d'**interlocuteurs **valables**, **se ramollissait les méninges**, à sortir du **bourbier** où l'avait précipité sa stupide mésalliance.

Critique d'art **redouté** et amateur de beaux objets, M. Sternberg nous tenait au courant des dernières **enchères** qui de **Drouot** à Christie's en passant par New York **défrayaient la chronique**. Il nous apprit entre autres que « notre ami » Horowitz venait d'acquérir dans la 94e Rue un **hôtel particulier** dont le premier étage **abritait** une collection de toiles impressionnistes et du xxe siècle qu'il avait commencé à acheter **dès** ses premiers succès. Y figuraient notamment Degas, Manet, Pissarro, Modigliani, Matisse, Rouault.

– Pas d'**actions cotées** en **Bourse**, pas d'**obligations**. Tout ce qu'il **gagne** dans un art, il le **dépense** dans un autre, disait avec admiration M. Sternberg.

pièce maîtresse centerpiece
L'Acrobate au repos *The Acrobat at Rest*
décocher shoot, fire off
fléchette au curare poisoned dart
para warded off
De quoi te plains-tu? What are you complaining about?
berceau cradle
Quant à As for
grandeur nature life-sized

comploter plotting, scheming
sous cape secretively
se penchant leaning
Secret d'État State Secret
préciosité preciosity, affectation
raideur stiffness, rigidity
phrase-clef pass phrase
retenu remembered
impérissable undying
veuf widowed
d'un air de dire as if to say

Pâques Easter
bande band, group
blinis buckwheat pancakes, a Russian dish

canaux channels
mire tuning window

envoûtantes enchanting

La **pièce maîtresse** de cette collection était sans conteste un Picasso : ***L'Acrobate au repos.*** Mon père, qui jusqu'alors suivait la conversation sans y participer, sentant que ma grand-mère était sur le point de **décocher** une nouvelle **fléchette au curare, para** cette attaque sans détacher les yeux de la cigarette qui se consumait entre ses doigts.

– **De quoi te plains-tu?** Tu habites Chatou, **berceau** des impressionnistes. **Quant à** l'acrobate au repos, tu l'as devant toi, en chair et en os, **grandeur nature.**

Ma grand-mère, donc, appréciait beaucoup la compagnie des Sternberg, mais pas autant que celle d'Evgueni Koulikov, avec qui personne n'aurait pu rivaliser dans le rôle du favori.

C'était un personnage aux gestes de Levantin et aux manières florentines, ayant toujours l'air de **comploter**, qui parlait **sous cape** en **se penchant** vers vous. Mon père l'avait surnommé **Secret d'État.** Koulikov ne manquait jamais de lui demander de se mettre au piano, disant avec **préciosité** en roulant les *r* : « Joue-moi, mon cher, s'il te plaît, *Oiseau de Paradis*! » Papa s'exécutait avec toute la **raideur** d'un automate répondant à une **phrase-clef.** J'ai **retenu** avec précision les mots et l'accent du solliciteur, mais je ne sais plus ce qu'était la musique et d'Où était tiré ce chef-d'œuvre **impérissable**? Secret d'État était **veuf**, à seulement 35 ans, et personne ne savait comment était morte sa femme. Chaque fois que le sujet revenait sur le tapis, ma grand-mère levait les yeux au ciel **d'un air de dire** : mes pauvres enfants, c'est encore plus terrible que tout ce que vous pouvez imaginer.

Pour fêter la **Pâques** russe, mes parents avaient réuni toute la **bande** habituelle. J'avais peint des œufs, et maman avait préparé quantité de **blinis.** Nicolas Effimof et mon père avaient rapporté de l'usine un poste de radio révolutionnaire. Nicolas me demanda quelle langue je voulais écouter? Et le voilà parti à énumérer les **canaux** du monde entier dont les noms figuraient sur la **mire**, m'invitant à rêver à l'évocation de ces pays lointains, de ces stations émettrices aux sonorités exotiques et **envoûtantes**

Hilversum, Beromunster, Monte Ceneri…

ondes waves

encensait praised to the skies

coutumière customary

galalithe plastic

parvenir reach

munie equipped

ensorcelant bewitching

parcourait ran through, scanned

gamme range

béate enraptured

collaient stuck

haut-parleur speaker

grouillant de parasites *here:* crackling with static; *literally:* swarming with parasites

crachouillis sputtering

Le Vol du bourdon *The Flight of the Bumblebee*

jaillit burst forth

tuyau d'égout sewer pipe

saisit seized, took hold of

tendait held out

bourdon bumblebee

jouer la mouche du coche play backseat driver

se faire comprendre make herself understood

enfoncer to drive in

clou nail

TSF radio

sépulcral deathly

étincelle spark

dinde turkey

grelots little bells

en font des tonnes overdo it, go overboard

chasses is kicking me out

avertis warn

franchir pass through

faire la sourde oreille turn a deaf ear

ukase edict

dont les **ondes**, par le miracle de la technique que mon démonstrateur **encensait** avec sa **coutumière** emphase et en tournant un simple bouton en **galalithe**, pouvaient nous **parvenir** instantanément dans une boîte en bois **munie**, c'était nouveau, d'un œil magique, **ensorcelant**, de couleur verte. Aussi excité qu'un explorateur de Jules Verne, le bon Nicolas **parcourait** la **gamme** des fréquences cependant que les membres de la **béate** assemblée **collaient** chacun une oreille extatique contre le **haut-parleur grouillant de parasites**.

Tout à coup, de cet abominable **crachouillis**, *Le Vol du bourdon* de Rimski-Korsakov, interprété par Vladimir Horowitz, **jaillit** comme un filet d'eau claire au sortir d'un **tuyau d'égout**, nous plongeant tous dans un état de communion absolue.

Ma grand-mère **saisit** aussitôt la perche que lui **tendait** ce **bourdon** pour **jouer la mouche du coche**. Elle qui jusqu'alors parlait russe utilisa le français cette fois pour bien **se faire comprendre** de sa belle-fille et **enfoncer** un peu plus le **clou** :

– Sans vous, mademoiselle, c'est mon fils qu'on écouterait à la **TSF**!

Dans le silence **sépulcral** qui suivit cette déclaration, la voix de mon père sonna comme la trompette du Jugement dernier.

– Maman, je te prierai de t'excuser!

Ce fut l'**étincelle** qui mit le feu aux poudres. Prenant un air de **dinde** outragée, des **grelots** dans la gorge, ma grand-mère se mit à déclamer à la façon de ces tragédiennes qui **en font des tonnes** :

– Ce n'est pas toi qui me **chasses**, c'est moi qui m'en vais. Mais je **avertis**, mon garçon, si tu me laisses **franchir** cette porte, tu ne me reverras pas!

Mon père choisit de **faire la sourde oreille** à cet **ukase**. Oui,

l'oreille absolue he of perfect pitch

feignit pretended

éteignant switching off

comme si de rien n'était as if nothing had happened

fer-blanc tin plate

bourrée de bosses full of nicks and dents

quitta left

boîte de harengs tin of herring

se déployer spread out

chardonnerets goldfinches

se remettaient à started again

suffisions were enough, sufficed

potage soup

poireaux leeks

exécrais abhorred

gamin kid

venait d'arbitrer had just refereed

maniait used, handled

sifflet whistle

péripéties events, highlights

mi-temps halftime

carillon chiming clock

accroché hanging

coup d'œil glance

quelconque of some sort

ballon rond *i.e.,* soccer ball

aiguille needle, hand of the clock

tâche task

soin care

s'acquitter carrying out properly

de son aveu même by his own admission

détenteur holder

Longine Swiss brand of high-end watches

oignon-bracelet wristwatch with onion-shaped crown

lui, **l'oreille absolue**, il **feignit** de ne pas avoir entendu, **éteignant** la radio et reprenant sa conservation avec ses hôtes comme **si de rien n'était**. Et tandis que les hommes parlaient football en fumant et buvant, ma grand-mère remplissait sa valise en **fer-blanc bourrée de bosses** qui avait connu tant de tribulations depuis son départ de Russie et sans un mot, dans l'indifférence la plus totale, elle **quitta** la **boîte de harengs** de la rue Ribot pour ne plus y remettre les pieds.

Après le départ de grand-mère, on respirait mieux. On pouvait **se déployer**. L'air lui-même semblait plus léger. Et les **chardonnerets se remettaient à** chanter. On pourra s'étonner de l'absence d'émotion avec laquelle mon père accueillit cet incident mélodramatique. Cela signifiait qu'il n'avait plus besoin de sa maman, que Violette et moi lui **suffisions**. Désormais, il y aurait sa famille et le reste.

Mon père m'intimidait. Il était sévère et, sans jamais élever la voix, savait se faire respecter. On pouvait lui résister une fois, pas deux. Comme preuve, ce **potage poireaux**-pommes de terre que j'**exécrais** et qu'on m'avait resservi froid au petit déjeuner. Mais il pouvait aussi se montrer charmant et séducteur, jouant d'un certain nombre de pouvoirs suffisamment mystérieux pour captiver un **gamin** de 7 ans.

Une scène m'a particulièrement marqué. C'était un dimanche et papa **venait d'arbitrer** un match de football (Chatou-Montesson ou une affiche de ce genre). Il **maniait** le **sifflet** avec autorité, et ses décisions n'entraînaient guère de discussion. Je le revois racontant les **péripéties** du match et disant «à la **mi-temps…**» en se dirigeant vers le **carillon** Westminster **accroché** au mur, pour le mettre à l'heure, après avoir jeté un rapide **coup d'œil** à sa montre. Il ne précisa pas ce qui s'était passé à la mi-temps, mais ce mot me semblait étrange et je me perdais en suppositions pour lui trouver un sens et un rapport **quelconque** avec le **ballon rond**. Tout en réfléchissant, j'admirais le geste élégant pour repousser la grande **aiguille** à la bonne place, une **tâche** dont il n'aurait laissé à nul autre le **soin** de **s'acquitter** puisqu'il était, **de son aveu même**, le **détenteur** de l'heure exacte. Ne l'avais-je pas entendu dire que sa **Longine** (un **oignon-bracelet** d'Origine) était d'une précision

horloge clock

moment pile exact moment

retentir sound, ring

top beep, chime

exprès deliberately

coutume a habit

sied habituellement normally is appropriate

langue de Voltaire language of Voltaire, *i.e.,* French. The expression "the language of Molière" is also sometimes used.

ne badinait pas did not fool around

châtiés refined

m'écartasse deviate from

calottes slaps

fredonner to hum

C'est moi...costauds ! "I'm the wrestling kid. See my big strong biceps!" (lyrics from the song "*La môme catch-catch*" [1938] by Fréhel, a popular French performer)

mauvais genre low-class, in bad taste

donnant le *la* setting the tone (*literally:* giving the pitch by playing the note "la")

aîné older

éprouver feeling

pincement pang

s'efforçait tried hard

dévoiler lay bare, reveal

roselière bed of reeds

bruissante rustling, humming

caquet cackling

poules d'eau coots, mud hens

entregent socializing skills

huppé posh

demi-cotisation reduced membership fee

eu égard à considering

Quai d'Orsay another name for the French Ministry of Foreign Affairs due to the ministry's location on the Quai d'Orsay

éminence grise powerful behind-the-scenes advisor or decision-maker

telle que c'était lui qui informait personnellement l'**horloge** parlante du **moment pile** où devait **retentir** le quatrième **top**?

Un grand magicien donc, usant de formules cabalistiques comme cette mi-temps qu'il maintenait en suspens **exprès** pour laisser ouvert jusqu'au vertige tout un champ de possibles. Son pouvoir ne s'arrêtait pas là, car il avait **coutume** d'affirmer, notamment pour laisser entendre qu'il accordait un semblant d'intérêt à quelque chose qu'il n'appréciait guère : «J'ai été le premier à dire...» Pourquoi usait-il du passé composé au lieu du présent qui **sied habituellement** à cette figure de style? Il avait de la **langue de Voltaire** une connaissance parfaite que sa mère, qui ne **badinait** pas avec la grammaire, lui avait inculquée. Aussi parlait-il sans le moindre accent un français des plus **châtiés** dont il ne tolérait pas que je **m'écartasse**. J'ai reçu quelques **calottes** pour avoir osé **fredonner** : «*C'est moi la môme catch-catch. Voyez mes gros biscoteaux costauds!*» Numéro 1 au hit-parade de la chanson réaliste qui m'amusait, mais faisait **mauvais genre**. Ce français littéraire, acquis en Russie, s'était enrichi, depuis son exil, d'expressions courantes comme ce «j'ai été le premier à dire...» qui faisait de mon père un découvreur, un pionnier **donnant le *la*** sur bien des sujets.

Papa aimait aussi le tennis. Il avait appris à jouer à Vevey, chez son grand-père, et il adorait tout spécialement s'associer en double avec son frère **aîné** Fédor. Il lui était difficile d'évoquer cette période sans **éprouver** un **pincement** au cœur, qu'il **s'efforçait** d'ailleurs de dissimuler, n'étant pas homme à **dévoiler** ses sentiments.

À la belle saison, nous allions tous les dimanches dans une grande propriété du Vésinet, près d'une jolie **roselière** toute **bruissante** du **caquet** des **poules d'eau**, que fréquentaient les membres d'un petit club très fermé. Parmi ceux-ci, notre ami Evgueni Koulikov, lequel, sans avoir touché une raquette de sa vie, occupait le fauteuil de trésorier. Avec son légendaire **entregent**, il avait introduit mon père dans ce milieu **huppé** et s'était arrangé pour qu'il ne paye qu'une **demi-cotisation**, **eu égard à** ses antécédents héroïques dans l'Armée blanche.

Papa jouait souvent en double avec un nommé Émile Demoek, un diplomate né à Bruges qui occupait de hautes fonctions au **Quai d'Orsay**, une sorte d'**éminence grise**, spécialiste des relations Est-

teintés tinted

moumoute poivre et sel pepper and salt toupee

folie extravagant or fanciful home built for pleasure

Pecq city in the western suburbs of Paris

soupçonnait suspected

de la jaquette homosexual

me méfiais distrusted, was suspicious of

d'aventure by chance

ramasser pick up

m'arrangeais saw to it

filet net

pavillonnaire composed of lodges, cabins, shacks

bicoques naines et biscornues dwarf-sized and odd-looking
    shacks

déboucher emerge

troènes privet shrubs

à la fraîche when the weather became cooler

Suze cassis drink containing black currant liqueur

regagnions returned to

longeant skirting

allure gait

l'un des leurs one of theirs

contact switch, starter

enfila slipped on

beurre-frais butter-colored

régler adjusting

rétroviseur rearview mirror

faisait songer reminded one

poêle frying pan

Hotchkiss French automobile made between 1903 and 1955

haut de gamme high-end, top-of-the-line

grands upper crust

klaxonnes honk the horn

ne mîmes pas longtemps did not take a long time

Ouest. Ce Demoek portait chemise et pantalon blancs, des lunettes à verres **teintés**, une **moumoute poivre et sel**. Il habitait une sorte de **folie** entourée d'un jardin à l'anglaise à l'entrée du **Pecq**. Papa le **soupçonnait** d'être **de la jaquette** et il me conseillait d'avoir toujours un œil derrière le dos. Quoi que trop jeune pour saisir ce genre de subtilités, je **me méfiais** du bonhomme et, si **d'aventure** il me demandait de **ramasser** les balles, je **m'arrangeais** pour mettre le **filet** entre nous.

Le plus souvent nous venions à pied, traversant toute la zone **pavillonnaire** et ses **bicoques naines et biscornues** pour **déboucher** dans cet oasis de luxe et de richesse, au milieu des **troènes**. Maman venait nous rejoindre un peu plus tard, **à la fraîche**. J'attendais avec impatience la fin de la journée, car nous nous arrêtions invariablement à la terrasse d'un café, au coin de l'avenue de la Princesse. Papa prenait un mandarin citron, maman, une **Suze cassis**, et je me délectais d'une grenadine. Puis nous **regagnions** à pied notre HLM en **longeant** les belles villas. Mon père avait une **allure** folle, et les riches propriétaires le saluaient comme s'il était **l'un des leurs**.

– Qui c'est?

– Comment, tu ne les as pas reconnus? me répondait-il en prenant un air faussement étonné, c'étaient le baron Petzouille et le comte Zanzibar!

Un jour, Émile Demoek, après un double victorieux, insista pour nous raccompagner en voiture. Avant de mettre le **contact**, il **enfila** des gants **beurre-frais** et, sous prétexte de **régler** son **rétroviseur**, replaça sa moumoute, qui **faisait songer** à une crêpe qui serait mal retombée dans la **poêle**. Je me souviens que mon père avait donné une fausse adresse, dans les quartiers chic, à l'exact opposé de l'endroit où nous vivions.

Émile Demoek possédait une **Hotchkiss**, modèle **haut de gamme**, réservée aux **grands** de ce monde.

– Pourquoi **klaxonnes**-tu sans arrêt? dit papa.

– La dissuasion, cher ami, tout est dans la dissuasion! répondit l'homme du Quai d'Orsay.

Nous **ne mîmes pas longtemps** à comprendre, car, au croisement

Simca 5 French automobile manufacturer Simca's version of the
  Fiat Topolino
carrosse coach
que de tintouin nothing but trouble
crotte piece of crap
éviter avoid
postiche hairpiece
plénipotentiaire diplomat, *i.e.,* Demoek
carambolage collision
dégât des eaux water damage, *i.e.*, pants-wetting
supprimé done away with
convoitée coveted
Menton town on the French Riviera
coups de bottes kicks
baptisé christened

banlieues suburbs

congés payés paid vacations
Côte Côte d'Azur, French Riviera
jouait aux courses bet on horse races
ébouriffante stunning
aigrette feathered hat or hair accessory
aréopage assembly
cornet à dés dice shaker
trichait cheated
médire slander
tout-venant multitude
rien qu'en by doing nothing but
bout tip

avaient dû faire leur chemin must have worked their way into

la joua modeste played it modest

de la rue des Landes et de la rue des Eaux, une minuscule **Simca 5** coupa la route du **carrosse** diplomatique. Aucun dommage physique. En revanche, **que de tintouin**. Des deux véhicules, c'était la petite **crotte** qui avait le moins souffert. La Hotchkiss, pour l'**éviter**, avait fini dans un mur. Le radiateur percé fuyait comme un geyser, et tout le monde cherchait le **postiche** du **plénipotentiaire**, qui avait volé au moment du **carambolage**. Accident sans gravité, mais j'eus une belle frayeur, qui provoqua un **dégât des eaux** dans ma culotte. Mauvaise journée donc, d'autant plus que ce retour motorisé avait **supprimé** l'arrêt au bistro et la grenadine **convoitée**.

Ma grand-mère s'était exilée à **Menton**, chez des amis de son « rang », nobles et militaires chassés à **coups de bottes** dans le derrière du paradis rouge, ainsi que mon père avait **baptisé** l'ex-empire russe. Nous le tenions de la bouche même de Secret d'État, qui correspondait avec elle. La *french* Riviera, ses palmiers, ses villas pastel, ça nous faisait rêver, nous, pauvres rats des **banlieues**. Menton, capitale du citron et du mimosa, 316 jours sans un nuage, et Caramia trouvait le moyen de se plaindre, estimant que, depuis les **congés payés**, nous n'étions plus chez nous sur la **Côte**.

Elle **jouait aux courses**… de petits chevaux à la terrasse d'un grand palace, L'Orient ou L'Impérial, je ne sais plus. Je l'imaginais, avec sa mantille et son **ébouriffante aigrette**, sans oublier ses gants léopard, entourée d'un **aréopage** de généraux en disgrâce, agitant son vieux **cornet à dés** datant de son premier périple en Ukraine, où déjà elle **trichait** comme elle respirait. Et je croyais l'entendre **médire** du **tout-venant** avec ce ton venimeux qui faisait dire au docteur Destouches, notre médecin de famille, qu'elle finirait par s'empoisonner **rien qu'en** agitant le **bout** de sa langue.

Les reproches de la « poison » **avaient dû faire leur chemin** dans l'esprit de maman, qui insista pour que mon père reprenne la musique sérieusement. Son argument avait le mérite d'être clair, elle voulait que son enfant l'admire pour ce qu'il était : un grand pianiste. Papa **la joua modeste**. Il n'était rien, mais il pouvait essayer de s'améliorer. Il retourna devant son clavier, bien décidé cette fois à en tirer de la

fioritures grace notes, flourishes

parti pris bias

rubato changes in tempo

briller shine
se moquait made fun of
diable sait où devil knows where

à couper le souffle breathtaking
voleter fluttering
méprisait despised
s'étendait extended
volontiers willingly, gladly
gammes scales
entretenir sustain
« Pâté-Macaroni » the narrator's misunderstanding of the name "Pathé-Marconi"
pointait punched in
journellement daily
agroalimentaire food industry
m'entretint kept me
méprise confusion, mistaken state
gagner ma pitance to eke out a living. *Pitance* literally means a ration or an allowance of food, hence the narrator's confusion of his father's line of work with the food industry.
mère nourricière foster mother. *Nourricière* also means "nutritious, nourishing"
coupe-faim appetite suppressant
nouilles noodles; *here*: spineless men, idiots
turbin work

musique et non des **fioritures**.

Aujourd'hui encore je ne peux concevoir les *Mazurkas*, les *Études*, les *Impromptus, Ballades* ou *Nocturnes*, la *Barcarolle* ou la *Berceuse* de Chopin joués autrement que par lui. Toutes les autres interprétations, celles d'Horowitz comprises, me paraissent un ton en dessous. Et ce **parti pris** apparemment peu partial n'a rien à voir avec la piété. Je suis totalement convaincu de la supériorité de mon père sur n'importe quel géant du clavier. Seul son **rubato** m'enchante. Et cela n'a que peu de rapport avec la technique pure. Je ne suis même pas certain que Dimitri ait été un grand technicien. Il ne cherchait pas à **briller** et **se moquait** des fausses notes... Non, sa force résidait dans cette sonorité à nulle autre pareille qu'il tirait du **diable sait où**. Quelques mois avant son déclin, bien que diminué physiquement, papa était encore capable de jouer, dans le noir, *Le Polichinelle* de Rachmaninov, morceau d'une virtuosité **à couper le souffle**, où les doigts n'arrêtent pas de **voleter** d'un bord à l'autre du clavier. Par contre, sa culture musicale s'était arrêtée net à la révolution bolchevique et à Rachmaninov. Il **méprisait** le jazz, et son intransigeance **s'étendait** aux compositeurs modernes (de son époque), ce qui incluait Debussy dont, cependant, « il avait été le premier à dire que », parmi les *Préludes, La Fille aux cheveux de lin* était intéressante et il la jouait **volontiers**.

J'avais alors 6, 7 ans quand il reprit sérieusement le piano qu'il n'avait plus vraiment touché depuis l'âge de 20 ans, se contentant de quelques **gammes** dans le fond du potager de Montrouge pour **entretenir** ma grand-mère dans ses rêves de gloire.

À cette époque, je n'avais pas vraiment compris le lien entre la musique et les usines « **Pâté-Macaroni** » où mon père **pointait journellement**. Je m'imaginais que son travail avait un lien avec l'**agroalimentaire**, et d'ailleurs, jusqu'à la guerre, il **m'entretint** un peu dans cette **méprise** en usant à tout propos d'expressions du type : « Je pars **gagner ma pitance** », « La **mère nourricière** » ou « Le **coupe-faim** » (petits noms donné à l'usine), « Ma bande de **nouilles** » (en parlant des membres de son équipe), « J'ai la tête dans le pâté ! » (le soir, en rentrant du **turbin**, quand il souffrait de migraines et ne

assomme bore
78-tours old 78 rpm phonograph records
devins became
tourneur phonograph operator

repiqua au jeu got back into the game
regain renewal
en bavait suffered, had a hard time of it
invalidante disabling
phalanges bones of the fingers
vous en servir using them [your fingers]
prit vite l'allure quickly started to look like
course contre la montre race against the clock
manquaient failed
mentait lied

studio de Billancourt early movie studio

tirades long speeches
minceur meagerness

môme kid
soubrette maid
effet bœuf big impression
se mirant looking at herself
octroi city limit
choupinette a term of affection similar to "*chou*"
blondasse washed-out blond
olé-olé bold, crude
à la vie à la mort for life, to the end
avait à la bonne took a liking to

voulait pas que je l'**assomme** de questions)… Ce ne fut que deux, trois ans plus tard, durant les heures noires de l'Occupation, quand il rapporta de l'usine les premiers **78-tours** et que je **devins** son fidèle **tourneur**, que je pris conscience de la véritable nature de ses activités. Mais nous n'en sommes pas encore là.

Ainsi donc, dans les années précédant la guerre, mon père, encouragé par maman, **repiqua au jeu**, comme il se plaisait à qualifier son **regain** de passion. Cela paraissait facile à première vue, mais il **en bavait**. C'était dur, ça faisait mal aux doigts, ça tirait sur les épaules. Il craignait de souffrir du même mal que son grand-père héraldiste : une arthrite **invalidante** qui vous déformait les **phalanges** et vous rendait bientôt incapable de **vous en servir**. Ce retour en grâce **prit vite l'allure** d'une **course contre la montre**. Aux amis de passage, qui ne **manquaient** jamais de lui demander de leur interpréter tel ou tel morceau, il ne disait jamais non et il ne **mentait** pas en affirmant que tout le plaisir était pour lui. C'était un grand bonheur perdu puis retrouvé.

Durant ce temps, ma mère poursuivait sa carrière de comédienne, auditionnant pour de petits rôles au **studio de Billancourt**. Je l'y accompagnais, n'allant pas encore à l'école et, en attendant son tour, elle me récitait ses textes… Oh ! pas vraiment des **tirades** d'anthologie, ça non, plutôt des phrases d'une **minceur** en rapport avec le rôle ou la situation qu'elle devait interpréter : « Monsieur m'a chargé de dire à madame qu'il ne dînera pas avec madame ce soir. » Mais, pour un **môme** de 6 ans, voir sa mère costumée en **soubrette** répéter plusieurs fois de suite cette réplique capitale en y mettant toute son âme, cela faisait un **effet bœuf**. Nous rentrions en tramway et, en **se mirant** dans mes yeux maman devait se voir aussi belle que les plus belles actrices de l'époque : les Micheline Presles, les Gaby Morlay.

Souvent son amie Évelyne Lambert nous raccompagnait jusqu'à l'**octroi**. Elle appelait maman « ma **choupinette** », je n'ai jamais très bien su pourquoi. C'était une **blondasse** assez **olé-olé**, mais avec un vrai sens de l'amitié, un côté russe, **à la vie à la mort**. Quand quelqu'un lui plaisait, qu'elle l'**avait à la bonne**, elle pouvait se

prévenante thoughtful

se mettre en avant promote herself, get herself noticed

jouer des coudes et du popotin make her way in using her elbows
and rear end

r'filé = *refilé:* has given

frimousse little face

vaux la Morgan are as good as French actress Michèle Morgan

craquante irresistible

le Jeannot famous French film star Jean Gabin (1904–1976)

tout craché spitting image

singeait imitated

goûtait peu had little taste for

fumistes phonies

gueule face, appearance

vachard cruel, severe

Gégène the popular open-air café and dance hall Chez Gégène

s'y colletait got into fights there

bouffait du corbeau ate crow

branque short for *branque ursine*, acanthus or cow parsnip

culbuto "bop bag," a toy with a weighted convex base that pitches
back and forth and then rights itself after being punched

foire du Trône outdoor fair in the Bois de Vincennes, east of Paris

poupin chubby

rayures stripes

lissés à la brillantine slicked back with brillantine or scented oil

haras stud farm

chasse à courre hunting with a pack of hounds

beau-père stepfather

bouchon cork

bagarreur aggressive, combative

fait le coup de poing thrown some punches

repaire hangout

Rosbifs corruption of "roast beefs": pejorative term for Englishmen

Hispano-Suiza type of luxury car

à tout casser huge, no-holds-barred

emmerdait annoyed the hell out of

Si bizarre fût-elle However strange it was

montrer excessivement douce et **prévenante**, ou d'une violence de tigresse pour défendre ses protégés. Elle ne comprenait pas que ma mère ne fût pas plus connue et elle la poussait à **se mettre en avant**, à **jouer des coudes et du popotin**.

— Il faut faire avec ce que Dame Nature t'a **r'filé**, ma choupinette : avec ta p'tite **frimousse** à pleurer au bout du quai, tu **vaux la Morgan**, t'es même bien plus **craquante**, tiens, faut que tu connaisses **le Jeannot** (Gabin), t'es son genre **tout craché**.

Mon père n'aimait pas cette Évelyne Lambert qui **singeait** Arletty. D'une manière générale, il **goûtait peu** les gens de cinéma, des **fumistes** et des poseurs qui n'avaient que leur **gueule** pour fumer. Par contre, il se trouvait tout à fait à l'aise au sein de la communauté montmartroise et il resta l'un des piliers du groupe jusqu'à son explosion au moment de l'arrivée des Allemands. L'ironie féroce d'un Marcel Aymé, ou l'humour **vachard** d'un Louis-Ferdinand Destouches, le ravissaient. Il lui arrivait de se rendre chez le peintre Gen Paul, avenue Junot. Les fêtes à **Gégène** étaient réputées, on y buvait, on **s'y colletait**, on y **bouffait du corbeau** et du **branque**, comme au **culbuto de la foire du Trône**. Cela ressemblait à un cirque, mais pas pour rire.

Charlie Flag appelait mon père Radza. Un grand type au visage **poupin**, portant des costumes à **rayures**, les cheveux **lissés à la brillantine**. À cette époque, il devait avoir 32 ans. Sa mère (unique héritière d'un banquier de Genève) s'était remariée avec un Anglais propriétaire d'un **haras** dans le Kent et amateur de **chasse à courre**. Charlie détestait son **beau-père** au point d'avoir cherché à le tuer au cours des noces célébrées au château de Rochefort-en-Yvelines. L'arme du crime : un **bouchon** de champagne !

Anglophobe et **bagarreur**, il avait **fait le coup de poing** au bar du Savoy, bien connu pour être un **repaire** de **Rosbifs**. Il conduisait une **Hispano-Suiza** couleur cacao et dilapidait l'argent de poche que lui donnait sa mère en fêtes **à tout casser**. Quand il n'était pas ivre, il pouvait être terriblement ennuyeux. Et lorsqu'il avait bu, il **emmerdait** tout le monde. Je n'ai jamais vraiment compris comment Flag et mon père s'étaient connus ni surtout comment ils avaient pu devenir si bons amis. **Si bizarre fût-elle**, leur camaraderie se révéla d'une solidité à

à toute épreuve ironclad

aux dires according to

avait surtout un poil dans la main was lazy above all

flemmardise sloth

Panthéon neoclassical building in Paris in which important French historical figures and national heroes are buried

juré sworn

tenu parole kept his word

marchand de sable sandman

deuxième classe soldier without special rank or distinction

galons stripes

corvées chores

Cantonné Stationed

obus shells

cercueil coffin

planque cushy job

retour en fanfare triumphant return

bouleversait turned upside down

données facts taken as a given

retraite retirement

crevait de chaud was dying of heat

cacochymes doddering

désœuvrés idle

repli withdrawal

Balayant Sweeping away

revers de main back of her hand

griefs grievances

rappliqua came back

armes et bagages bag and baggage

belle-fille daughter-in-law

redevables indebted

tiré fired

s'apprêtaient were getting ready

toute épreuve. Charlie avait un tempérament d'écrivain, **aux dires** de Marcel Aymé qui l'encourageait à prendre la plume. Il **avait surtout un poil dans la main** et invoquait comme prétexte à sa **flemmardise** l'absence de sujet. «Le jour où j'aurai trouvé un personnage, vous pourrez me réserver une suite au **Panthéon**!» Il paraît que mon père s'était proposé d'être ce personnage et que Charlie Flag avait **juré** de raconter un jour l'histoire du dernier des Radzanov. Il est à peu près certain qu'il aurait **tenu parole** si sa route n'avait pas croisé celle du **marchand de sable**, un certain soir de novembre 1943.

Naturalisé en 1927, mon père n'avait pas fait son service militaire en France et fut donc mobilisé en septembre 1939 comme **deuxième classe**. Il n'eut pas à regretter cette absence de **galons**, qui eut pour principal avantage de n'exempter de **corvées** trop pénibles. **Cantonné** dans le camp de Cercottes, près d'Orléans, où l'on essayait les **obus** d'artillerie, il s'occupa du foyer du soldat en raison de ses talents pianistiques. Cercottes, ça sonnait comme **cercueil**. Une bonne **planque**.

Outre le départ de papa, cette période fut marquée par le **retour en fanfare** de ma grand-mère. La guerre **bouleversait** toutes les **données**, et la terrible Anastasie profita du caractère exceptionnel de la situation pour abandonner sa **retraite** de Menton où elle **crevait de chaud** et s'ennuyait comme une ratte morte au milieu de ses généraux **cacochymes** et **désœuvrés**. Évidemment, elle présenta ce **repli** stratégique comme un gros sacrifice, faisant passer son devoir avant ses intérêts. **Balayant** d'un **revers de main** ses **griefs** d'hier, elle **rappliqua** avec **armes et bagages** sous prétexte de soutenir le moral des troupes. Sans aller jusqu'à faire la paix avec sa **belle-fille**, elle institua une sorte d'armistice à usage interne, dont elle s'arrangea pour être la seule bénéficiaire. Elle nous faisait cadeau de sa présence et nous devions lui en être **redevables**, feignant d'oublier que c'était elle qui avait **tiré** la première.

Ma mère choisit le parti de la neutralité, ne voulant pas remettre de l'huile sur le feu. Alors que tant de Français **s'apprêtaient** à

composer compromise, collaborate
envahisseurs invaders
dûmes had to
pactiser come to terms
occupante *i.e.*, the narrator's grandmother
volets shutters
toiture roof
venions d'emménager had just moved in
régenter rule over
son bon plaisir her whims
doué gifted, talented (referring here to piano-playing)
gravée engraved
décochée let fly, fired off
m'introduisant entering
effleurant lightly grazing
touches keys
empreintes fingerprints, imprints
tièdes warm
spiritisme spiritualism
s'en chargea took care of it
assenant striking
hérité inherited
tares defects
ensilé stored
« Sa mère crachée » "The spitting image of his mother"
perfide perfidious woman
fleur de l'âge prime of life
génitrice progenitor
hors pair unrivaled
puîné younger son
martelait hammered into my head
parcours journey
index crochu hooked forefinger
dévissé become unscrewed
chèvre crazy about
ratée failed at
à moitié halfway
foirade screw-up, failure

composer avec les **envahisseurs**, nous **dûmes** apprendre à **pactiser** avec l'**occupante** du 37, avenue Gambetta, le minuscule pavillon tricolore (**volets** bleus, murs blancs, **toiture** rouge) où nous **venions d'emménager**, tout près du barrage de Chatou. Le dragon était à nouveau dans la place, bien résolu à **régenter** l'univers domestique et n'admettant pas qu'on discute **son bon plaisir**.

« Tu n'es pas **doué**, inutile d'insister ! »

Cette petite phrase à jamais **gravée** dans ma mémoire, ma grand-mère me l'avait **décochée** un soir où – comme si souvent depuis son départ à l'armée – j'essayais de compenser l'absence de mon père en **m'introduisant** dans son sanctuaire et en **effleurant** les **touches** ivoirines sans même songer à en tirer des sons. Il s'agissait uniquement de mettre mes doigts dans ses **empreintes** encore **tièdes**, me servant de son piano comme d'un instrument de **spiritisme**. Au lieu qu'il me réponde, ce fut donc sa mère qui **s'en chargea**, m'**assenant** un coup derrière les oreilles qui allait me laisser infirme à vie.

Je n'étais pas doué pour une raison qui n'avait rien à voir avec la musique, mais avec la génétique. J'avais **hérité** de toutes les **tares** maternelles, le bon grain se trouvant **ensilé** dans les chromosomes des Radzanov. « **Sa mère crachée** », se plaisait à souligner cette grande **perfide** les jours de colère. Le génie des Radzanov, son fils Dimitri en était l'unique dépositaire. Depuis la mort dans la **fleur de l'âge** de son autre fils Fédor, le danseur étoile, tous les espoirs de cette **génitrice hors pair** s'étaient portés sur son **puîné**, dont elle me **martelait** le **parcours** erratique, des éclairs dans les yeux, en me menaçant de son **index crochu**, comme si c'était ma faute à moi, si mon père avait **dévissé** :

– À 5 ans, il donne son premier concert ; à 15 ans, il fait déjà de l'ombre à Horowitz ; à 17 ans, il s'engage dans l'Armée blanche ; à 26 ans, il tombe amoureux à en devenir **chèvre** de cette Violette Marjorie qui ne sait ni lire ni écrire. Il n'y a qu'une chose que mes fils aient **ratée** : leur mariage. Et comme ils n'ont jamais rien fait **à moitié** ce fut une **foirade** absolue.

– Qu'est-ce que vous faites dans le noir ?

Ma mère, rentrée à l'improviste de chez sa voisine Mme Effimof,

seuil doorstep

navets turnips

enfilant slipping on

renard bleu Arctic fox

débrouillé managed, found a way

couper à la mobilisation dodge the draft

École militaire military academy near the Champ de Mars, in Paris

« écoutes » wiretaps

collait volontiers...aux portes eavesdropped willingly (*literally:* willingly stuck his ear to doors)

catovienne a resident of Chatou

eûmes droit were entitled

Il ne devait pas y avoir There must not have been

du côté du Champ-de-Mars *i.e.,* at the École militaire

mal de chien devil of a time

l'en déloger get him out

poste à galène crystal radio receiver

veillées evenings

subissait endured

marrants amusing

ligués united

parasites static

grésillaient was crackling

lige liege

avait dû en baver must have suffered

tiraillée pulled

harcèlement harrassment

« drôle de guerre » "strange war" or "phony war"; period of relatively little military activity between September 1939 (when France and England declared war on Germany) and May 1940 (when Germany invaded France and the Low Countries)

siège seat

névralgique *here:* nerve

front de Seine *here:* military front along the Seine, *i.e.,* in Chatou, where the narrator's mother and grandmother were warring; also perhaps a pun on today's Front de Seine, an urban renewal district in the 15th arrondissement. (*literally:* Seine riverfront)

ligne Maginot French defense fortifications along its German border

se tenait sur le **seuil** et nous observait avec son éternel sourire. Ma grand-mère détourna la tête et sans un mot quitta les lieux.

– J'ai rapporté un pigeon et des **navets**! dit ma mère, tout heureuse de nous faire un bon repas.

– Ce soir, je suis invitée! déclara ma grand-mère en **enfilant** sa fourrure de **renard bleu**.

Tous les hommes de notre entourage se trouvaient comme papa au poste de combat. Tous à l'exception de Secret d'État, qui s'était encore **débrouillé** pour **couper à la mobilisation** grâce à ses relations avec Émile Demoek. Il travaillait à l'**École militaire**, aux «**écoutes**», ce qui ne m'étonnait pas vraiment de la part de quelqu'un qui **collait volontiers son oreille aux portes**. Lorsqu'il apprit que sa très chère Anastasie était à nouveau **catovienne**, nous **eûmes droit** à ses visites coutumières. **Il ne devait pas y avoir** grand-chose à écouter **du côté du Champ-de-Mars** à en juger par le temps que Koulikov passait chez nous et le **mal de chien** que maman avait à **l'en déloger**.

Je me couchais tôt, et me relevais souffrant d'insomnie. J'aimais m'asseoir sur la dernière marche de l'escalier et écouter les conversations des adultes qui se tenaient regroupés autour du **poste à galène**. Les **veillées** se prolongeaient donc tard dans la nuit et maman **subissait** comme elle le pouvait la présence des deux indésirables. Déjà pas très **marrants** pris séparément, ils devenaient monstrueux une fois qu'ils étaient **ligués**. Les **parasites** qui hier **grésillaient** dans le poste semblaient avoir envahi le salon et s'être matérialisés en grand-mère et son homme **lige**. Bien plus tard, je réalisai à quel point ma mère **avait dû en baver**, **tiraillée** entre ces deux spécialistes du **harcèlement** moral qui la torturaient sans laisser de traces.

Durant les neuf mois qui suivirent, ce fut la «**drôle de guerre**» – expression qui me paraissait naturellement devoir s'appliquer au conflit opposant ma mère à ma grand-mère. Le petit pavillon de Chatou était devenu le **siège** des hostilités, son centre **névralgique**, et on se battait sur le **front de Seine** de manière bien plus tangible que sur la **ligne Maginot**.

Toutefois, maman demeurait stoïque, s'efforçant de me cacher

avanies affronts
essuyer to suffer
osait dared
sort fate
crochets fangs
larmoyer weep
pleurniché whined, sniveled
geindre moan
revers setback
mitraille hail of bullets, shelling
fraises strawberries
tire-au-flanc shirkers
planqué man in hiding
rajoutait added
Os de Verre Glass Bones
affrontements confrontations
flanquât flung
permission éclair brief leave, furlough

tenue *here:* the blue overalls worn by factory workers
capote greatcoat
calot forage cap
bandes molletières strips of cloth wrapped around the calves
serrais squeezed
à la nuit at nightfall
ritournelle refrain
fait sa valise packed up and left
débandade rout

au charbon off working
mette les bouchées doubles double her efforts
dégotait found

sa souffrance et s'inquiétant bien plus des privations endurées par mon père que des **avanies** qu'elle devait **essuyer**. À peine **osait**-elle aborder le sujet du **sort** de son pauvre époux que la vipère plantait ses **crochets**, jugeant indécent de **larmoyer** à propos d'un soldat qui défendait sa patrie. Avait-elle **pleurniché**, elle, lorsque ses chers fils s'étaient engagés dans la Garde blanche? S'était-elle mise à **geindre** chaque fois qu'on lui apprenait tel ou tel **revers** de l'armée de Denikine?

– Ma petite, disait-elle, jamais vous ne saurez ce que peut endurer une mère. J'avais deux fils, vous m'entendez, mes deux seuls enfants, tous deux jetés au milieu des flammes et sous la **mitraille**. Deux, deux, DEUX, criait-elle en poursuivant maman tout autour du minuscule pavillon et jusque dans le jardinet envahi de **fraises** sauvages.

Et Koulikov de lui faire écho, lui, le roi des **tire-au-flanc**, le **planqué** majuscule, il en **rajoutait** à plaisir jusqu'au jour où mon père, alerté par **Os de Verre**, (la fragile Mme Sternberg) de ce conflit parallèle et des **affrontements** de plus en plus violents qui éclataient à l'arrière, **flanquât** à la rue Secret d'État au cours d'une **permission éclair**.

Pour fêter cette victoire éclatante, il nous emmena manger du jambon sur l'île de Chatou. Dans sa **tenue** bleu horizon, avec sa lourde **capote**, son **calot** et ses **bandes molletières**, mon père, ce jour-là, faisait vraiment figure de héros. Je me **serrais** contre lui, m'enveloppant dans son odeur de tabac. Nous rentrâmes **à la nuit** et, au silence particulier qui régnait dans le pavillon seulement troublé par la **ritournelle** du carillon Westminster, nous ne mîmes pas longtemps à comprendre que ma grand-mère, une fois de plus, avait **fait sa valise**. Aucun commentaire n'accueillit cette nouvelle **débandade**, et papa repartit à la guerre en nous promettant de revenir très vite.

La vie reprit un cours plus ou moins normal. Papa **au charbon**, il fallait bien que maman **mette les bouchées doubles**. Grâce à sa copine Lambert qui lui **dégotait** des petits rôles, elle avait fini par croiser la route de Jean Gabin et lui avait même donné la réplique

Béni soit Blessed be

dénicha found

standardiste receptionist, switchboard operator

éditions Robert Denoël French publishing house that published
   Louis-Ferdinand Céline's *Voyage au bout de la nuit* (*Journey to
   the End of the Night*) as well as anti-Semitic pamphlets written
   by Céline. Denoël was assassinated in 1945.

exemplaires copies

dois owe

illettrée illiterate woman (*i.e.,* his mother)

ahurissement stupefaction

ours mal léché boor

guéri cured

pions pawns

lessive washing, laundry

épluchant peeling

topinambours Jerusalem artichokes (a type of tuber)

au quart de tour easily, without needing much provocation

féerie fantastical world

lugubre dismal

manège merry-go-round

grinçant grinding, creaking

à part except for

escarmouches skirmishes

à tue-tête at the top of our lungs

pendre notre linge to hang our linens

habitué gotten used to

confiants confident

inexpugnables unassailable

claironner trumpet

poussait la balle *in effect:* played tennis

taupe mole, spy

au mépris de in defiance of

brassée armful

râpées grated

cuites cooked. The narrator is using an equivalent of the
   expression "the goose was cooked."

catarrheuse sniffling, phlegmy

poussette stroller

dans un film de Jean Grémillon, *Lumière d'été*. Ces « apparitions » ne suffisaient pas à assurer « la matérielle ». **Béni soit** Marcel Aymé qui, au plus fort de la tempête, lui **dénicha** une place de **standardiste** aux **éditions Robert Denoël**. Elle rapportait des **exemplaires** de presse à la maison et il me touche beaucoup de penser que je **dois** ma passion des livres à une **illettrée**. Je me souviens entre autres de la première édition illustrée du *Voyage au bout de la nuit* et de l'espèce d'**ahurissement** qui me saisit en réalisant que le docteur Destouches, cet **ours mal léché** qui m'avait **guéri** d'à peu près toutes les maladies infantiles, et Louis-Ferdinand Céline, l'auteur de ce monument, étaient un seul et même homme.

Alors que les nazis avançaient leurs **pions**, je lisais à maman des morceaux choisis du *Voyage*. Les mains dans la **lessive** ou **épluchant** des **topinambours**, elle approuvait chaque phrase ou presque, réagissant **au quart de tour** à cette **féerie** souvent **lugubre**, ce tour de **manège grinçant**.

La radio donnait chaque jour des communiqués officiels rassurants, se limitant généralement à « sur l'ensemble du front rien à signaler **à part** quelques **escarmouches** ». Notre armée tenait solidement les frontières de l'Est et, avec les copains de l'école, l'on chantait **à tue-tête** « nous irons **pendre notre linge** sur la ligne Siegfried ». De temps en temps, les sirènes annonçaient le début, puis, quelques minutes plus tard, la fin d'une alerte où il ne se passait rien. Et l'on s'était **habitué** à ce calme, **confiants** dans les fortifications grandioses et **inexpugnables** qui tenaient l'ennemi en respect. « La dissuasion, tout est dans la dissuasion », continuait à **claironner** le père Demoek qui **poussait la balle** au Vésinet en poursuivant son métier de **taupe** au Quai d'Orsay.

Tout ça pour dire que la brusque attaque arrivant par le nord, **au mépris de** la neutralité belge, surprit la France entière et, en une **brassée** de jours du mois de juin, les carottes (qui étaient déjà bien **râpées**) furent définitivement **cuites**.

Maman et moi, escortés d'Os de Verre et de la **catarrheuse** Mme Effimof, poussant une vieille **poussette** contenant quelques

nous mêlâmes à joined
foule crowd
apeurée frightened
gagner reach
débraillés disheveled
point de chute place to crash
poulailler henhouse
fournaise furnace
meublée furnished
d'enterrer to bury
hache de guerre hatchet
tenait le milieu came halfway between

pagaille disorder
échouer end up
immobilisa immobilized
zone libre "free zone"; the southern region of France not occupied
   by the Germans during the first part of World War II. It was
   controlled by the Vichy government of Marshal Philippe Pétain
   and occupied by the Germans after November 1942
ahuris bewildered, stunned
déboussolés disoriented
démobilisés demobilized
chez l'habitant in the homes of locals
de loin en loin every now and then
colis packages
éventrés ripped open
faisandé rotten

démarche step
« gueule cassée » facially disfigured war veteran
mâchoire jawbone
déviait deflected
bout d'os restant remaining bit of bone
gargouillis gurgling sounds
outre besides
faciès face, features

vêtements, nous **nous mêlâmes** à la **foule apeurée** pour **gagner** Paris entre deux rangs de soldats **débraillés**, sans munitions, attendant d'être faits prisonniers. Notre **point de chute** : le **poulailler** de Montrouge où tonton Freddy, égal à lui-même, nous reçut à bras ouverts. Ce fut par lui que nous apprîmes où se trouvait ma grand-mère, dont nous étions restés sans nouvelles depuis sa disparition. Elle n'était pas retournée dans sa «**fournaise** mentonnaise» comme nous le supposions, mais habitait une chambre **meublée** cours Montaigne, où j'irais lui rendre visite par la suite sur les conseils de maman, désireuse d'**enterrer** la **hache de guerre** et de rétablir une harmonie toujours précaire qui **tenait le milieu** entre le château de cartes et la pyramide de verres.

De son côté, papa avait quitté son cercueil de Cercottes et s'était replié avec son unité (et son piano) dans la plus grande **pagaille** pour **échouer** près de Bergerac, où l'armistice les **immobilisa** dans ce qui allait devenir très momentanément la **zone libre**. Pendant cette période d'incertitude, les soldats **ahuris** et **déboussolés**, en attente d'être **démobilisés** et rendus à leur foyer, logeaient **chez l'habitant**. Papa avait trouvé refuge à Saint-Aubin-de-Lanquais, un village proche de Monbazillac, chez deux vieilles filles qui, par la suite, nous envoyèrent **de loin en loin** des **colis** fort appréciés, mais qui nous parvenaient généralement **éventrés**, au terme d'un voyage long et tortueux, ce qui procurait aux poulets un goût **faisandé**.

Dimitri revint à Chatou en octobre 1940. Sa première **démarche** fut de retourner aux usines Pathé avec une boule à l'estomac, car allait-il récupérer son emploi ? Lors de cette visite, où je l'accompagnais, il rencontra son ancien chef, un nommé Girardot. C'était une «**gueule cassée**» de la guerre de 14. Il lui manquait la moitié gauche de la **mâchoire** inférieure, et cette asymétrie du visage s'aggravait lorsqu'il parlait, ce qui **déviait** encore plus vers la droite le **bout d'os restant**, provoquant de terrifiants **gargouillis** dysharmoniques. Cela ne l'empêchait pas d'être un brave homme. De cette entrevue, **outre** la forte impression que me fit son **faciès** ravagé, je garde le souvenir d'un bref échange de propos concernant la situation de la France. Girardot dit soudain :

vaincus defeated

préciser be more specific
borborygmes gurgling sounds
culs asses

ronds de vinyle vinyl discs
fabriquait manufactured
« La Voix de son Maître » "His Master's Voice"; the Pathé-Marconi
    slogan
enregistrés recorded
galvanoplastie electroplating
ruiné in ruins
blouse smock
bocaux jars
tête de mort skull and crossbones

règlement regulations
affiché posted
traîner lingering, lagging behind
amende fine
viré fired
Escargotière Snail pen, *i.e.,* a small enclosure
mansardé mansard, with four sloping sides
ardoise slate
perron front steps
auvent dépoli dull or unpolished porch roof
scarabée beetle
rosier rose bush
grimpant climbing
fusains spindle trees
ça-me-suffit good-enough-for-me
diurnes daytime
tirs shots
DCA *Défense Contre Avions*: anti-aircraft defense

– Nous ne sommes pas seulement **vaincus** !

Je revois mon père, qui écoutait respectueusement les paroles de son supérieur hiérarchique, prendre l'air étonné de celui qui ne voit pas trop ce qu'on pourrait être de plus, et Girardot de **préciser** au milieu d'une salve de **borborygmes** atroces :

– Nous sommes 42 millions de **culs** !

Papa réintégra ses fonctions et je découvris enfin le lien entre les usines « Pâté-Macaroni » et les **ronds de vinyle** qu'il rapportait à la maison. On **fabriquait** à nouveau des disques de musique classique et de variété portant le label « **La Voix de son Maître** ». Les disques **enregistrés** à Paris étaient fabriqués à Chatou.

Papa s'occupait des bains de **galvanoplastie** dans le bâtiment le plus moderne de l'usine, actuellement **ruiné**, dominant le cimetière des Landes. Tout ce que je peux dire à propos de ses activités, c'est qu'il portait une **blouse** blanche et des gants et qu'il manipulait des **bocaux** de différentes couleurs avec une **tête de mort** peinte sur le couvercle.

En l'accompagnant, j'avais eu l'occasion de jeter un œil au **règlement affiché** à l'entrée. Les trois premiers articles avaient suffi à me faire comprendre pourquoi mon père regardait tout le temps sa montre. Les ouvriers devaient entrer et sortir à l'heure indiquée par l'horloge de l'atelier. Tout ouvrier qui arrivait en retard ou qui était surpris à **traîner** dans l'usine après la fermeture au mieux subissait une **amende**, au pire était **viré**. Papa parlait peu de son travail et, dans un sens, ça n'était pas plus mal.

Début 41, nous nous installâmes dans un autre pavillon, route des Maisons. **Escargotière** à un étage, toit **mansardé** en **ardoise** triste, **perron** à **auvent dépoli**, balustrade en bûche de ciment, un **scarabée** en céramique au-dessus de l'entrée, un **rosier grimpant** et trois **fusains** composent l'idée d'un jardin et complètent ce nouveau **ça-me-suffit**.

Très vite, la « normalité » comporta de fréquentes alertes **diurnes** et surtout nocturnes, marquées d'abord par les seuls **tirs** de la **DCA**, dont

fracas assourdissant deafening din
parsemait sprinkled
éclats déchiquetés jagged shards
faucille sickle
exhibant displaying
trouvailles finds
larguées released
jusquiame henbane, a toxic plant with psychoactive properties
couché in bed
s'enfouir hide himself
abris shelters
trous à rats rat holes
criblé riddled
taches spots
escadrilles squadrons
impavide unruffled

soufflant blowing out
cri shriek
rugissement roar
ras-le-bol exasperation

Avec le recul From a distance, Looking back
de plomb leaden, heavy, somber
se confondent merge together
chien-et-loup twilight
couvre-feu curfew
patrouilles patrols
s'étirant stretching out
aux aguets on the lookout
crépusculaire in the twilight
camaïeu monochrome
coquelicot red poppy
travesti transvestite
boîte de nuit nightclub

une batterie, installée en gare de Rueil, faisait un **fracas assourdissant** et **parsemait** les rues et les jardinets d'**éclats déchiquetés** plus ou moins volumineux, en forme d'étoile ou de **faucille**. Avec mes copains d'école, on les ramassait pour en faire collection, chacun **exhibant** ses **trouvailles** avec fierté. Mais, par la suite, l'explosion des bombes **larguées** à haute altitude par les forteresses volantes vint se mêler au concert des sirènes, ce qui me causait une terreur incontrôlable que maman essayait de calmer en me donnant de la **jusquiame**, cependant que papa restait tranquillement **couché**, refusant obstinément de descendre à la cave ou d'aller **s'enfouir** dans les **abris** situés à cent mètres de la maison. Il avait sans doute raison, le seul intérêt de ses **trous à rats** étant d'atténuer le vacarme des bombardements et de supprimer de mon champ de vision les ciseaux des projecteurs cherchant dans le ciel **criblé** de **taches** lumineuses les **escadrilles** de la mort.

Dimitri avait une autre raison de demeurer **impavide** : son piano. Cet instrument était magique, m'expliquait-il pour me rassurer. Une sorte de divinité se cachait à l'intérieur, qui assurait protection et invulnérabilité à son propriétaire et à sa famille.

Une nuit, une bombe tomba tout près de la maison, **soufflant** les vitres. Le piano-talisman émit une espèce de **cri** qui n'était ni une plainte ni une note de souffrance, mais bien plutôt un **rugissement** de colère, comme si la divinité dissimulée à l'intérieur avait voulu manifester son **ras-le-bol** face à la folie des hommes.

J'avais à peine 10 ans au plus fort des hostilités. **Avec le recul**, ces années **de plomb se confondent** en un interminable **chien-et-loup** sûrement à cause du **couvre-feu**, qui nous obligeait à jouer au chat et à la souris avec les ombres des **patrouilles s'étirant** sur les murs. Il fallait sans arrêt tendre l'oreille, ouvrir l'œil comme un animal **aux aguets**. Souvenirs en noir et blanc d'un monde **crépusculaire** où le danger était omniprésent et où la peur, son corollaire, agissait comme un énergisant.

Parfois un rouge vif, un jaune d'or se détachent de ce **camaïeu** de gris. Le **coquelicot** ornant la boutonnière d'un **travesti** à l'entrée d'une **boîte de nuit** dans laquelle mon père et Charlie Flag renoncent

pissenlits dandelions
boutons d'or buttercups
parsèment are scattered over
pelouse lawn
garées parked
perron front steps
marchepied running board
osselets jacks
graviers pebbles
ramassés picked up
faire la vigie standing guard
éperdue frantic
s'étreignent embrace
appartenir to belong
moindre slightest
ment lies
se dégourdir loosening
sifflote whistle
file gives
calotte smack

blottir nestle
caisse de résonance resonating chamber, case
solfège music theory, music notation
me débrouillais managed to get along
montagnes russes roller coasters; *here:* a play on the word *"russes"*
  or "Russian"
deviner guess
voulu desired, required
au besoin if necessary

creusé carved, dug

à pénétrer à cause de moi qui suis mineur. Que faisons-nous là ? Je l'ignore. Des **pissenlits** ou des **boutons d'or parsèment** la **pelouse** rendue au sauvage d'un château de la région parisienne à l'abandon. Des voitures noires sont **garées** devant le **perron**. Je suis assis sur le **marchepied** de l'une d'elles. Je tue le temps en jouant aux **osselets** avec des **graviers ramassés** sur l'esplanade. J'attends. Quoi ? Mystère. Là encore, je n'arrive pas à resituer cette scène dans un contexte précis ni à lui donner un sens. Je revois aussi maman, folle d'inquiétude, **faire la vigie** devant la barrière du jardin. Papa arrive enfin. Elle court **éperdue** à sa rencontre. Ils **s'étreignent**. Beaucoup d'images qui se rattachent à cette époque paraissent **appartenir** à un rêve, mais c'est un rêve ou un cauchemar qui a vraiment eu lieu, on ne pourra pas me prouver le contraire.

Chaque soir, papa écoute des phrases de poème, ou des petites annonces à la radio. Au **moindre** bruit extérieur, il coupe le son. Ou bien il s'installe au piano et se met à jouer *Radio-Paris* **ment**, *Radio-Paris est allemand*, histoire de **se dégourdir** les doigts avant d'attaquer Brahms ou Schumann. Un jour que je **sifflote** ce refrain dans la rue, il me **file** une superbe **calotte**. Comme je m'étonne de ne pas pouvoir faire une chose qu'il s'autorise, il me répond :

– Tu n'es pas obligé de copier tout ce que je fais !

Papa s'était remis à jouer. Je n'avais plus l'âge de me **blottir** contre le piano, l'oreille collée à la **caisse de résonance**. Désormais, lorsque mon père officiait, il me demandait de tourner les pages de certaines partitions. Bien que n'ayant aucune notion de **solfège**, je **me débrouillais** en suivant la ligne mélodique figurée par des montées et des descentes – des **montagnes russes** ! – et j'arrivais assez bien de cette façon à **deviner** la musique et à tourner les pages au moment **voulu**, qu'il indiquait **au besoin** d'un signe de tête impérieux.

Ma fonction ne s'arrêtait pas à ce simple exercice. Mon père aimait se mesurer aux grands interprètes dont il rapportait les disques à la maison. C'était sa façon à lui de prolonger sa jeunesse en Ukraine, notamment la période où, jeune élève du Conservatoire, il se battait en duel avec Face de Chou. Ce dernier avait depuis lors **creusé** son

microsillon microgroove (groove on a long-playing record)

acharnement tenacity

niveau level

sauts d'écureuil leaps of a squirrel

repérer locate

à la volée in mid-air, on the fly

partition score

repêchait fished out

menton chin

synchros synchronized

éprouvante trying, tiring

l'Aveugle et du Paralytique "The Blind Man and the Paralytic"; a fable by Jean-Pierre Claris de Florian (1755–1794) in which the title characters work together to provide each other with sight and mobility, respectively

enjeu stakes

tienne la dragée haute à son adversaire made his opponent pay dearly

se battait was fighting

conserve l'ascendant keep the upper hand

coup pour coup blow for blow

De part et d'autre On both sides

fil thread

frappant striking

blanches ivories, white piano keys

cognant banging on

noires black keys

K-O knock-out (the English abbreviation is used in French, as well)

parterre en liesse rejoicing crowd

bicoque en meulière buhrstone shack

chancelant staggering

soutenir support

épreuve event, ordeal

tournois tournaments

en tant qu'écuyer as a squire

lances spears, lances

morde la poussière bit the dust

microsillon, et mon père, à force de travail et d'**acharnement**, se sentait d'un **niveau** suffisant pour se mesurer à son rival de toujours. Les choses se passaient donc ainsi : chaque morceau tenait sur plusieurs 78-tours, ce qui impliquait de tourner ou de changer le disque toutes les trois minutes, ce dont j'étais chargé, puisqu'il fallait bien que mon père fût prêt à chaque reprise. Cela m'obligeait à des **sauts d'écureuil** pour revenir rapidement auprès du piano et **repérer à la volée** la ligne mélodique sur la **partition**. Il m'arrivait plus d'une fois de perdre pied, mais papa me **repêchait** toujours en donnant le coup de **menton** qui nous rendait **synchros**. Cette gymnastique **éprouvante** constituait une variante musicale de l'**Aveugle et du Paralytique**, un sport où je me mis bientôt à exceller, l'**enjeu** étant que mon père **tienne la dragée haute à son adversaire**. C'étaient les seuls moments où je me sentais en osmose totale avec papa. J'avais le sentiment de participer à ma façon à sa performance. Il me disait : «Allez viens, petit, on va boxer l'ivoire», et je savais qu'il s'agissait plus dans son esprit que d'un simple jeu pour garder la forme. Ce n'était pas une partie de plaisir. Il **se battait** vraiment contre l'autre, le champion universellement reconnu, et il importait qu'il **conserve l'ascendant**.

Tandis que le géant Horowitz bataillait sur scène, en pleine lumière, son obscur compatriote rendait **coup pour coup** dans un pavillon de banlieue aux volets clos. **De part et d'autre** de l'Atlantique, les deux hommes, reliés par un **fil** invisible, rivalisaient de brio, **frappant** les **blanches**, **cognant** les **noires** jusqu'au **K-O**. Horowitz, groggy, saluait un **parterre en liesse**. Du fond de sa **bicoque en meulière**, son fantomatique challenger, tout aussi **chancelant**, savourait sa victoire.

J'avais à cœur de le **soutenir** dans l'**épreuve**. Je n'étais pas seulement témoin de ces **tournois** prodigieux, j'y participais pleinement **en tant qu'écuyer**, tendant les **lances** à mon père jusqu'à ce qu'Horowitz **morde la poussière**. Il faut dire que ma grand-mère m'entretenait dans cet état d'esprit.

débâcle de juin 40 the defeat of the French army and the fall of
    France to the Germans in June 1940

unique pensionnaire sole resident

me tapais le pensum got stuck with the chore

pigeonnier pigeon house

qualifiait called

combles uppermost chambers

collège middle school

bâtisse building

échouée grounded

Belle au bois dormant Sleeping Beauty

préaux playgrounds

galoches clogs, overshoes

dortoirs dormitory bedrooms

trotte-menu scampering

grimpais climbed up

montré patte blanche identified myself

Qualité profession, title

loquet latch

s'entrouvrait opened partway

grinçant creaking

hanté haunted

d'usage customary

mot de passe password

lavage de cerveau brainwashing

Dans les jours qui précédèrent la **débâcle de juin 40**, Anastasie, vexée et mortifiée, avait trouvé à se loger dans une chambre de l'Institution Montaigne, ancien cours privé fermé depuis le début de la guerre et dont elle était l'**unique pensionnaire**. Ma mère avait insisté pour que je conserve le contact avec elle, et plusieurs fois, après la classe, je **me tapais le pensum** d'aller lui rendre visite dans son **pigeonnier**, ainsi qu'elle **qualifiait** sa chambrette située dans les **combles** du **collège**.

Difficile de restituer l'atmosphère de cette grande **bâtisse** silencieuse, **échouée** en bordure de la rue Camille-Perrier, derrière la mairie de Chatou. En passant la grille, on croyait pénétrer au royaume de la **Belle au bois dormant**, avec la cour de récréation aux **préaux** vides, les escaliers monumentaux résonnant de l'écho de mes seules **galoches**, les **dortoirs** déserts, à peine troublés par le **trotte-menu** d'un gros rat... Je **grimpais** sous les toits, remontais un corridor parcouru de courants d'air et frappais à une porte portant le n° 7.

Généralement il ne se passait rien jusqu'à ce que j'aie **montré patte blanche** :

– C'est moi !

– Moi qui ?

– Ambroise !

– Ambroise qui ?

– Radzanov !

– Fils de ?

– Radzanov Dimitri. 1, route des Maisons. Chatou.

– **Qualité** du père !

– Chimiste !

– J'ai mal entendu ?

– Pianiste !

Je percevais le bruit du **loquet**, et la porte **s'entrouvrait** très lentement en **grinçant** comme la grille d'un château **hanté**. Ces précautions **d'usage**, qui se répétaient à chaque visite, remplaçaient, je suppose, le **mot de passe** obligatoire en temps de crise. Mais il s'agissait aussi d'une sorte de **lavage de cerveau** visant à me mettre en condition.

emmitouflée bundled up
chapka winter cap
chaussée wearing on her feet
troïka horse-drawn sled
lit à ressorts box spring bed
faste luxurious
vêtue dressed
bonbonnière candy box
goûter snack

faillit mettre la puce à l'oreille almost raised the suspicion (*literally:* almost put the flea in the ear)
tavelées spotted
pinçon pinch-mark

d'inventorier to make an inventory of
coupures de presse press clippings
phagocyter to eat up, devour
étalait displayed

témoignages testimonies

pourpre crimson (the color of Catholic cardinals' robes)
Saint-Siège Holy See
noyant drowning
encens incense
m'en aille left
dépenser spend
« trésor de guerre » war chest
Devinant Perceiving
prenait les devants stepped in to speak first

Je découvrais ma grand-mère **emmitouflée** dans son renard bleu, coiffée de sa **chapka** aux oreilles de caribou, les mains gantées de léopard, **chaussée** de ses bottines à boutons, prête à monter dans sa **troïka**, autrement dit son vieux **lit à ressorts**, qui occupait la quasi-totalité de l'espace. Avant de passer aux choses sérieuses, elle faisait infuser son thé dans une casserole en fer-blanc posée sur une lampe à alcool. Qu'il semblait loin, le temps des samovars d'argent ! Seuls vestiges de cette époque **faste**, la façon dont elle était **vêtue**, ses manières professorales, la **bonbonnière** à fleurs dans laquelle elle conservait des gâteaux durs comme du bois. Comme je la visitais à l'heure du **goûter**, inévitablement j'y avais droit. Une fois, je me cassai une dent dessus, ce qui **faillit mettre la puce à l'oreille** de mon père. Je me souviens aussi de son odeur de vieille personne, de ses mains **tavelées** et du **pinçon** de ses ongles quand elle voulait que je sois plus attentif à ce qu'elle me racontait.

– Quelqu'un sait que tu es ici ?

– Non.

– Parfait, approche.

Sa principale occupation était d'**inventorier** des **coupures de presse** sur Horowitz. Elle ouvrait son album et me faisait voyager dans une vie qui n'était pas la mienne et qui, petit à petit, allait me **phagocyter**. Elle **étalait** sur son lit les photos montrant le maestro dans toute sa splendeur (il n'était question que d'images de bonheur) et me lisait les articles à sa gloire, qu'elle traduisait de l'anglais.

Des **témoignages** exceptionnels dont elle prétendait avoir l'exclusivité. Comme je m'étonnais de ce privilège, elle me lançait : « Souviens-toi qu'Horowitz nous connaît. »

Elle n'en disait pas plus, prenant cet air d'impénétrabilité qui la faisait ressembler à quelque éminence **pourpre** du **Saint-Siège**, **noyant** les questions des profanes dans un nuage d'**encens**.

Avant que je **m'en aille**, elle sortait d'une enveloppe un billet qu'elle ne me tendait pas tout de suite, s'assurant d'abord que j'avais bien tout enregistré et me faisant jurer de ne **dépenser** ce « **trésor de guerre** » qu'en cas d'absolue nécessité.

Devinant ma perplexité, elle **prenait les devants** :

– C'est tout ce que j'ai pu sauver du sac des bolcheviks. Je te

veiller watch over

prunelle pupil

J'avais beau être Despite my being

saisir understand

en aucun cas under no circumstances

manne manna, godsend

cheval de Troie Trojan horse

confiait confided

soupçonne suspect

conciliabules secret meetings

mansarde garret

marronniers chestnut trees

pris vite goût quickly took a liking to

au dépens de at the expense of

joutes jousts

interposée intermediary

en rapport avec having to do with

accords de Vichy agreements between Marshal Philippe Pétain
   (Vichy France's head of state) and Nazi Germany

perroquet parrot

potins gossip

Le courant est passé They hit it off (*literally:* The electric current
   passed)

cendrier ashtray

trèfle clover leaf

la bouche en coeur simpering

conseille d'y **veiller** comme sur la **prunelle** de tes yeux. Et n'oublie jamais que c'est de l'argent Radzanov !

J'avais beau être très jeune et ne pas tout **saisir**, sur ce point précis, il n'existait pas la moindre ambiguïté sémantique : **en aucun cas** ma mère ne devrait de près ou de loin bénéficier de cette **manne**.

Séance après séance, je cessai d'être dupe et commençai à réaliser que cette histoire s'adressait en vérité à mon père et que ma grand-mère se servait de moi comme du **cheval de Troie**. Elle me **confiait** des choses en me donnant de l'argent pour que je les répète à la maison, mais sans préciser mes sources, car elle ne voulait surtout pas que l'on **soupçonne** nos **conciliabules** dans cette **mansarde** au-dessus des **marronniers**.

Je **pris vite goût** à ce métier d'agent de liaison, qui me permettait de m'amuser **au dépens de** l'indigne vieille dame tout en stimulant mon père dans ses **joutes** musicales. La mère et le fils s'étaient remis à dialoguer par personne **interposée** et autour d'un sujet assez peu **en rapport avec** ce qui préoccupait l'ensemble de la population française. Des **accords de Vichy** aux premières heures de l'Occupation, il n'était pratiquement pas question. Le grand perturbateur de la planète n'était pas Adolf Hitler, mais Vladimir Horowitz, un juif exilé aux USA, dont nous suivions les exploits depuis la banlieue parisienne tombée sous la botte nazie.

Mon père rentrait de l'usine en même temps que je revenais de chez mon informatrice, et voici ce que cela donnait. Il s'installait devant son clavier et, tandis qu'il choisissait une partition, je récitais comme un **perroquet** les derniers **potins** de ma grand-mère en prenant la voix du speaker de Radio-Paris.

– On le tient de source officielle, Horowitz va interpréter Rachmaninov sous la direction du grand Arturo Toscanini. Les deux hommes se sont rencontrés dans les salons de l'hôtel Astor. **Le courant est passé.**

Mon père écrasait sa cigarette dans un **cendrier** en forme de **trèfle** et, sans la moindre animosité, il me disait :

– Et alors ? Ils se sont électrocutés ?

Ou bien je déclarais **la bouche en cœur** que c'était en jouant une

garçon manqué tomboy (Dimitri is alluding to Horowitz's rumored homosexuality.)

idolâtre idolatrous, worshiping

sourd deaf person

Mieux vaut It's better

tympans eardrums

percés pierced

inepties inanities

marmonnait muttered

agacé irritated

Mûr Ripe

mettre la pâtée give a thrashing

crâneur bighead

me représentais imagined

lièvre hare

en smoking wearing a tuxedo

électrophone phonograph, record player

saphir sapphire stylus, needle

effleuré touched

gondolée warped

emplissant filling

grésillement crackling

castagne étincelante twinkling blows

prenait la température régnant gauged how things were going

route des Maisons *in effect:* at the narrator's home (this is the street on which he lives)

plaie wound

tarauder nag, gnaw away at

m'interpeller call out to me, get my attention

effets de manche hand-waving, insubstantial gestures

n'avait rien à voir avec had nothing to do with

galettes discs

mazurka de Chopin qu'Horowitz avait séduit Wanda, la quatrième fille de Toscanini.

– Un **garçon manqué**, je présume! disait mon père.

Ou encore, je répétais ce mot d'un critique **idolâtre**:

– Si, par quelque miracle de la médecine ou du ciel, il était donné à un **sourd** de naissance d'entendre pour une heure seulement, il serait bien avisé de passer cette heure avec Horowitz!

– Qui t'a raconté ça?

– Grand-m… Euh… je l'ai écouté à la radio!

– **Mieux vaut** avoir les deux **tympans percés** que d'entendre de telles **inepties**! **marmonnait** papa.

Il était **agacé**, je le savais. **Mûr** pour monter sur le ring et **mettre la pâtée** à ce **crâneur** de New York que je **me représentais** sous les traits d'un **lièvre en smoking**.

Je tirais de sa pochette le *Concerto n° 3* de Rachmaninov, que je déposais avec soin sur l'**électrophone**. À peine le **saphir** avait-il **effleuré** la surface **gondolée emplissant** le haut-parleur d'un **grésillement** lourd de promesse que mon cœur s'arrêtait de battre. Les doigts de mon père s'abattaient sur les touches en même temps que ceux d'Horowitz, et c'était parti pour vingt belles minutes de **castagne étincelante**.

Lorsque je revenais vers ma grand-mère et qu'elle **prenait la température régnant route des Maisons**, je retournais le couteau dans la **plaie** en affirmant que papa rentrait de plus en plus tard de chez Pathé pour avaler sa soupe et se coucher.

Pourquoi mon père n'abandonnait-il pas son obscur travail pour devenir concertiste? Cette question qui ne laissait pas de **tarauder** ma grand-mère ne pouvait que **m'interpeller**. À force de courir après son lièvre, papa avait acquis une vélocité fantastique et pouvait prétendre devenir l'égal des plus grands. Or, il ne semblait nullement partager ce point de vue, estimant que ses **effets de manche n'avait rien à voir** avec la musique. Il s'était apparemment résigné à son sort de fabricant de **galettes**. Les matchs de foot, les soirées russes, les parties de tennis, une épouse en or, un fils bientôt chirurgien, que pouvait-il souhaiter de plus? Il ne désirait rien d'autre que ce

au grand dam to the great displeasure

échec failure

en haut de l'affiche to the top of the bill

banlieusard suburbanite (derogatory in tone here, suggesting
    inferior social status)

ogre de Berchtesgaden *i.e.,* Hitler, who had a mountain residence
    at Berchtesgaden, in the Bavarian Alps

effacé retiring

regagnait returned to

Volodia Vladimir [Horowitz]

maintes numerous

noria waterwheel

enfilait slipped on

pantoufles slippers

puisées collected, taken from

marée tide

touches keys

fumaient were smoldering

hochait nodded

bis encore

fossé gulf

s'approfondissait deepened, widened

qu'il possédait, **au grand dam** de ma grand-mère qui enrageait face à l'**échec** de sa manœuvre pour le propulser **en haut de l'affiche**... Elle ne comprenait pas son manque d'ambition, et qu'il pût préférer à la gloire et aux honneurs cette petite vie de **banlieusard** lui semblait édifiant et pathétique.

Bien entendu, le combat de titans que se livraient mon père et Horowitz me passionnait bien plus que l'affrontement qui opposait l'**ogre de Berchtesgaden** au reste du monde. J'étais un enfant solitaire et rêveur, assez **effacé**, qui, sa journée de classe terminée, **regagnait** son théâtre de poche pour y retrouver ses deux monstres sacrés, Dimitri et **Volodia**. Je remontais en courant le chemin des impressionnistes, le long de la Seine, et, négligeant mes devoirs, je me précipitais dans la pièce aux volets clos pour installer le décor, ainsi que je l'avais vu faire **maintes** fois au studio de Billancourt par toute une **noria** de machinistes.

Quand mon père rentrait de l'usine, tout était prêt : l'électrophone, les vinyles, les partitions. J'avais même pris soin de passer le clavier à la peau de chamois. Papa, fatigué et soucieux, **enfilait** ses **pantoufles** de Saint-Mandé, allumait une cigarette et m'écoutait lui dérouler les dernières nouvelles **puisées** cours Montaigne : Horowitz a fait ceci, Horowitz a joué cela.

– Les salles sont trop petites pour contenir la foule qui se presse à ses concerts, on doit casser les murs !!! Il est porté jusqu'à son piano par une **marée** humaine !!! On l'a reçu à la Maison Blanche en grandes pompes, mais en prenant soin de ne pas dérouler le tapis rouge, car c'est une couleur qu'il déteste !!! Une heure après avoir joué le *Carnaval* de Liszt, il paraît que les **touches** de son Steinway **fumaient** encore !

Papa **hochait** pensivement la tête et me laissait choisir le programme tout en précisant qu'il n'y aurait pas de **bis** et que, sitôt le rideau tombé, je devrais me plonger dans mes leçons jusqu'à l'heure du souper.

Mes parents étaient alors loin de se douter du cataclysme que ces duels musicaux provoqués par la mania de ma grand-mère avaient soulevé dans mon esprit. Soir après soir, le **fossé s'approfondissait**

toupet audacity
piqua une colère went into a fit of anger
redoutable formidable
illico immediately
à l'endroit back in its place
clore close

point period

Désormais Henceforth
bûcher work hard at, grind away at
tiré une croix sur abandoned, renounced
en revanche on the other hand

se gardait refrained

bouillie porridge (the narrator pronounces the phrase unclearly, as
    though his mouth were full of porridge)
résignés resigned themselves [to German control]
ânonné recited in a drone
berceuse nursery rhyme
enregistrement recording
d'ajouter adding
bouché dim, stupid
cylindre de cire wax cylinder (the first audio recordings were engraved
    on wax cylinders that could be played on phonographs)
l'emporteraient would prevail
envisageable imaginable, conceivable
avortons runts
dans la foulée in the same breath
m'inscrivit enrolled me
stage d'initiation training course
Jean Borotra (1898–1994) dashing French tennis star who won
    championships at Wimbledon and Roland-Garros
Roland-Garros tennis stadium near the porte d'Auteuil in
    southwest Paris that is the home of the French Open

entre le monde réel et mon imaginaire. Le jour où j'eus le **toupet** de déclarer que je voulais devenir non pas musicien (ma grand-mère m'en ayant à jamais dissuadé), mais impresario, papa **piqua une colère** brève mais **redoutable** qui me remit **illico** la tête **à l'endroit**.

– As-tu idée de ce que cela représente…

Et de **clore** aussitôt le chapitre en déclarant :

– J'ai été le premier à dire qu'il n'existait rien au-dessus d'une profession libérale. Nous serons médecin, **point** !

Durant une assez longue période, d'Horowitz il ne fut plus question. **Désormais**, papa, négligeant son piano, me faisait **bûcher** mes leçons. S'il semblait avoir **tiré une croix sur** sa carrière, il était **en revanche** très attentif à mon propre avenir. Il ne s'agissait pas d'être un dilettante comme lui, mais que je sois le premier et le meilleur dans toutes les disciplines, à l'exception hélas de celle qu'il **se gardait** d'ailleurs bien de m'enseigner.

Mary had a little lamb, its fleece was as white as snow!

Cette petite phrase dont j'ignorais totalement le sens, combien de fois papa me la fit répéter, à vitesse grand V, avec de la **bouillie** dans la bouche après avoir insisté pour que je prenne l'anglais en première langue et non l'allemand, contrairement à la majorité de mes petits camarades, dont les parents s'étaient trop vite **résignés**. Plus tard, Nicolas Effimof m'expliqua l'histoire de cette Mary au mouton blanc, rendue immortelle par Thomas Edison, le génial inventeur du phonographe, lequel aurait **ânonné** cette **berceuse** pour réaliser le premier **enregistrement** sonore. Et papa **d'ajouter** :

– Tu n'es tout de même pas plus **bouché** qu'un **cylindre de cire**.

Il m'encouragea aussi à me façonner un corps d'athlète – et ce au cas où, malgré tout, les Aryens **l'emporteraient**, configuration hautement **envisageable**, qui aurait pour conséquence première l'extermination de tous les **avortons** – et, **dans la foulée** de cette pertinente analyse, il **m'inscrivit** au **stage d'initiation** gratuit que **Jean Borotra** dirigeait à **Roland-Garros** chaque samedi matin. Comme pour toute chose, mon père recherchait ce qu'on faisait de

« mec le plus ultra » very best guy (*mec* = guy); a play on words with the expression *nec plus ultra* or "nothing further beyond"

En trois coups de cuiller à pot In no time at all (*literally*: With three scoops of the ladle)

Bérézina river in Belarus where in 1812 Russian forces defeated the retreating army of Napoleon Bonaparte. "Bérézina" is therefore used in French as a synonym of "catastrophe."

depuis les gradins from the stands

engueulait bawled out, gave hell to

ratais missed

Basque bondissant "Bounding Basque [from Biarritz]," Borotra's nickname

dégringoler tumble down

décolérait let his anger subside

louer praise

tenue ad hoc appropriate uniform

galoches clogs

terre battue clay court

sortir de ses gonds blowing his top

s'inscrit dans la droite ligne took its place among, followed the tradition of

comme un pied like a klutz

passant overlooking

j'eus I had

entrâmes entered

Folies Folies Bergère, a famous Parisian music hall

n'empêche didn't prevent

souricière mousetrap

dédain disdain

race des élus chosen race, chosen people, *i.e.,* Jews

infâme despicable

bout de tissu patch of cloth, *i.e.,* the yellow star

rafles police raids, roundups

mieux et, selon lui, Borotra était le « **mec le plus ultra** » du circuit. **En trois coups de cuiller à pot**, il allait faire de moi un champion.

Ces « expéditions » porte d'Auteuil tournèrent vite à la **Bérézina**. Papa me haranguait **depuis les gradins**. Et il **engueulait** Borotra chaque fois que je **ratais** un coup. Le **Basque bondissant** n'avait pas mis longtemps à **dégringoler** dans son estime et, dans les trains gris nous ramenant à Chatou, Dimitri ne **décolérait** pas, traitant par le mépris celui dont il n'avait cessé de **louer** l'agilité et le panache. Par manque d'argent, l'on n'avait pu m'offrir la **tenue ad hoc** et je me traînais sur les cours avec mes **galoches** de collégien assez peu adaptées à la **terre battue**. À force de s'entendre critiquer, Borotra finit par **sortir de ses gonds**, et le seul échange qu'il eut avec mon père **s'inscrit dans la droite ligne** des combats de mousquetaires.

– Commencez par lui offrir des chaussures de sport, monsieur !

– On peut être fort bien chaussé et jouer **comme un pied**, monsieur !

Finis donc les samedis d'Auteuil. Désormais, c'est Dimitri en personne qui allait me prendre en main. Mais, trop perfectionniste, ne me **passant** aucune faute, il se révéla un pédagogue exécrable et, au vu de cette malheureuse expérience, **j'eus** moins de regrets qu'il n'ait jamais cherché à me transmettre son art.

Nous **entrâmes** dans les heures noires de l'Occupation. Leur nom avait valu aux Sternberg de porter l'abominable étoile jaune. Ils habitaient alors un appartement fort sombre, rue Bergère, tout près des **Folies**, un endroit, disait l'homme à la voix de basson, où les rats eux-mêmes n'auraient pas voulu vivre. Il **n'empêche** qu'ils se trouvaient pris dans une sacrée **souricière**. Ils ne sortaient plus de chez eux, et nous nous préoccupions tous beaucoup de leur sort, à commencer par ma grand-mère, qui pourtant n'avait jamais caché son **dédain** vis-à-vis de la **race des élus**. Or, elle avait de la considération et de l'amitié pour les Sternberg, et cet **infâme bout de tissu** les désignant à la vindicte barbare avait au moins eu pour effet de la rendre plus humaine.

Les **rafles** se multipliant, il était urgent de trouver une solution pour nos amis.

se soit brouillé fell out

baisser sa culotte grovel, beg for favors, stoop so low (*literally:* lower his pants)

« épuré » purged, cleansed

mettre la sourdine tone it down, put a lid on it

nous attirer des ennuis getting us into trouble

cran guts

peloton d'exécution firing squad

tirer d'autres chevillettes to look elsewhere, find a different solution

grenouillait was involved in shady dealings

de quel bord il était which side he was on

À voile et à vapeur *here:* Switch-hitter, Double agent (*also:* bisexual; *literally:* traveling by sail and by steam)

peste brune brown plague, *i.e.,* Nazism (a reference to the color of Nazi uniforms)

aiguillon goad, spur

concerts caritatifs benefit concerts

pogroms organized massacres

en reste left behind

caresser...dans le sens du poil rub the Germans the right way (*la bête immonde* = the vile beast, *i.e.,* the Nazi invaders)

armée des ombres "army of the shadows"; the secret army of the French Resistance

chuchotements whispers

tilleuls lime trees

soutenait was supporting

en tapinois quietly, on the sly

mezza-voce In hushed tones

avachi limp

tabouret stool

tuméfié swollen

morve mucus

– Quel dommage que ton père **se soit brouillé** avec Koulikov. Il pourrait nous aider. Il paraît qu'il occupe un poste-clef à la préfecture.

Papa refusait de **baisser sa culotte** et ne dissimulait pas son dégoût pour cet inquiétant personnage, soupçonné d'avoir «**épuré**» le tennis-club du Vésinet. Maman et les Effimof conseillaient à mon père de **mettre la sourdine**.

– Ne parle pas si fort. Tu vas finir par **nous attirer des ennuis**!

Dimitri haussait les épaules et se moquait de la pusillanimité ambiante.

– Si les Français avaient le **cran** de dire tout haut ce qu'ils pensent tout bas, nous n'en serions pas là.

Selon lui, Secret d'État méritait le **peloton d'exécution**. Pour sauver les Sternberg, il fallait **tirer d'autres chevillettes**. Émile Demoek **grenouillait** toujours au Quai d'Orsay, mais on ne savait trop **de quel bord il était**. **À voile et à vapeur**. Ainsi naviguait-il.

Il n'était pas dans la nature de mon père de se décourager. Il avait trop souffert de la terreur rouge pour ne pas éprouver face à la **peste brune** le même rejet viscéral. Ce n'était pas le seul **aiguillon** à sa révolte. J'avais appris (par qui l'on sait) que, de son côté, Horowitz multipliait les **concerts caritatifs**. Les fonds étaient entièrement versés aux premiers réfugiés fuyant les **pogroms**. Papa ne pouvait pas être **en reste**.

Il continuait à fréquenter la bande de Montmartre, du moins certains de ses membres, qui n'avaient pas choisi de **caresser la bête immonde dans le sens du poil**. Tonton Freddy, Charlie Flag et Marcel Aymé entretenaient de bonnes relations avec l'**armée des ombres**.

Une nuit, j'avais été réveillé par des murmures, des **chuchotements** montant du jardinet. Je m'approchai de la fenêtre. Des formes indistinctes complotaient sous les **tilleuls**. Je reconnus mon père en pyjama, qui **soutenait** un homme tenant à peine sur ses jambes. Je descendis l'escalier **en tapinois**. Maman faisait chauffer de l'eau et préparait des compresses. Papa discutait **mezza-voce** avec son ami Charlie Flag **avachi** sur un **tabouret**, au milieu de la cuisine. Celui-ci avait le visage **tuméfié**. Un œil ouvert, l'autre fermé. De la **morve** noire

poissait made sticky

manteaux de cuir "leather coats"; members of the Gestapo, the
secret police

alpagué collared, arrested

hôtel Majestic luxury hotel that served as Gestapo headquarters in
Paris

tapé beaten

granulat gravel, crushed stone

marchand de sable sandman

édenté toothless

effrayait frightened

trouille fear

séquelles repercussions, consequences

en puissance promising, with potential

analphabétisme illiteracy

dut owed

à l'instar de like

fricotait fooled around

instituteur schoolteacher

friand de fond of

saine healthy

blette overripe

coulait de son nez sur sa moustache. Du sang **poissait** ses cheveux hirsutes. Il souffrait de troubles de l'élocution, et je ne comprenais pas tout ce qu'il disait. Les **manteaux de cuir** l'avaient **alpagué** et conduit à l'**hôtel Majestic**. On lui avait **tapé** sur le crâne avec des sacs de **granulat** durant des heures. Il s'interrompit en m'apercevant, prostré sur le seuil. Il m'invita à approcher.

– J'ai boxé toute la nuit avec le **marchand de sable**, mais, tu vois, c'est lui qui s'est fatigué le premier…

Son sourire **édenté** m'**effrayait** plus qu'il ne me rassurait. On me renvoya au lit avec la **trouille** que le marchand de sable ne s'intéresse de plus près à mes insomnies.

Plus tard, j'apprendrais que les coups reçus à l'hôtel Majestic avaient laissé des **séquelles** irréparables. Charlie Flag ne savait plus ni lire ni écrire. Cet auteur **en puissance**, admiré par Marcel Aymé et Louis-Ferdinand Céline, ne ferait jamais le roman de la vie de Dimitri, comme il en était souvent question avant la guerre. Un pianiste qui fabrique des disques pour ses confrères et un écrivain frappé d'**analphabétisme**, les deux vraiment faisaient la paire.

À quelle intervention providentielle Charlie Flag **dut**-il la vie ? Peut-être à son ex-maîtresse Évelyne Lambert, qui, **à l'instar de** son modèle Arletty, **fricotait** avec ces messieurs de la Wehrmacht. Quoi qu'il en soit, Charlie Flag n'était plus une solution pour les reclus de la rue Bergère.

À cette époque, je commençais à comprendre beaucoup de choses grâce à notre **instituteur**, un fervent communiste, **friand de** métaphores.

– Imaginez, nous disait-il, une poire dont une moitié serait **saine** et l'autre **blette**, et vous aurez une idée de ce qu'est devenue la France.

– Ce n'est pas inexact, dit mon père. Un jour, il faudra que ton instituteur passe prendre l'apéritif à la maison. Je lui expliquerai qui est Lénine.

– Il le sait.

– Non, il ne le sait pas.

barbiche goatee

standard switchboard

passant outre rejecting

mises en garde warnings

mainmise takeover, seizure

il n'y avait pas que there were not only

collabos collaborators

Prévert, Carné, Trauner, Cosma Jacques Prévert (1900–1977), poet and screenwriter; Marcel Carné (1906–1996), director of the film *Les Enfants du paradis*; Alexandre Trauner (1906–1993), set designer; Joseph Kosma (1905–1969), Hungarian composer who wrote film scores

lourdaud heavy, clumsy

bougon grumpy

bouffant puffing away at

mégots cigarette butts

s'étirait stretched out

gratin upper crust

septième art cinema, the movie industry

royaume des cigales the Provence region of France (*literally:* "kingdom of the cicadas")

eu vent de got wind of

saisi la balle au bond seized the opportunity (*literally:* caught the bouncing ball)

rafle du Vel' d'Hiv' massive arrest of Jews (including 4,000 children) by the French police in July 1942. The prisoners were temporarily held at the Vélodrome d'Hiver, an indoor bicycle-racing venue in Paris, before being sent to concentration camps.

berger allemand German shepherd

clopinait was limping

au doigt et à l'œil faithfully, at the lift of a finger

se taire to be silent

exigeait demanded

– Mais si. Il porte la même **barbiche** que lui.

– Tout homme intelligent sachant qui est Lénine ne porte pas la barbiche de Lénine !

Bref, tout ce qu'il fallait retenir, c'est qu'il y avait d'un côté les occupants, de l'autre les occupés.

Maman, qui tenait toujours le **standard** chez Denoël, n'avait pas voulu abandonner sa carrière de comédienne, **passant outre** les **mises en garde** de mon père, qui dénonçait la **mainmise** de la censure allemande sur le cinéma et l'édition. Or, **il n'y avait pas que** des **collabos** parmi les « poseurs et les fumistes ». **Prévert, Carné, Trauner, Cosma**… À l'époque, ces noms qui revenaient de temps à autre dans la conversation ne m'évoquaient rien. Prévert, je l'avais croisé une ou deux fois, quai du Point-du-Jour. Un type un peu **lourdaud**, l'air toujours **bougon**, parlant sans arrêt en **bouffant** ses **mégots**. Il aimait les enfants et, lorsqu'il me voyait, son visage **s'étirait** soudain comme celui des clowns. Il venait de loin en loin à Paris, vivant la plupart du temps à la Colombe d'Or, un hôtel de Saint-Paul-de-Vence où défilait le **gratin** du **septième art**. Il avait été l'un des premiers à comprendre que les juifs risquaient leur peau, exhortant ses amis Cosma et Trauner à le suivre au **royaume des cigales** pour s'y faire oublier le temps qu'il faudrait. Maman avait **eu vent de** cette histoire et **saisi la balle au bond**. Prévert l'écouta et fit le nécessaire auprès de ses amis résistants pour qu'on évacue aussi les Sternberg. Hélas, une descente de police rue Bergère ruina ce plan d'évasion. Nous étions en juillet 42. La grande **rafle du Vel' d'Hiv'** avait débuté.

Vingt-quatre heures après la rafle, on avait entendu gratter à la porte de notre pavillon. Papa éteignit la radio, passa sa robe de chambre et alla ouvrir. C'était Moïse, le **berger allemand** que les Sternberg avaient trouvé un jour de l'automne 1938 alors qu'ils se promenaient dans la forêt de Marly. L'animal, blessé à la patte, **clopinait** à travers bois. Il ne portait aucun collier. Nos amis l'avaient recueilli et soigné. Depuis lors, le berger leur obéissait **au doigt et à l'œil**. Il savait **se taire** quand la situation l'**exigeait**. Je le revois, rue Bergère, couché au pied du lit, muet comme la tombe. Après la rafle, il avait dû traverser toute la banlieue ouest, son flair infaillible le

piètre feeble, sorry

miliciens members of the French militia who aided the Germans in fighting against the French Resistance and in rounding up Jews

retapé fixed up, got him back on his feet

datcha cottage

abattit killed, shot

fracassa smashed

vert-de-gris German soldiers (in grayish-green uniforms)

mauser Mauser rifle

« papirs » "papers" as pronounced in German

s'agenouiller kneel down

étui holster

tempe temple

bredouilla mumbled

de faïence the color of glazed blue earthenware

bourreaux executioners

ressentiment resentment

vira turned

porte malheur brings misfortune

thébaïde solitary retreat

outrancière extreme, outrageous

délaissant abandoning

vasistas fanlight

volutes smoke curls

établi workbench

ressorti taken out again

jadis long ago

chair à pâté mincemeat

cuisinière à bois wood-burning stove

velléités stray impulses, fancies

guidant vers notre maison. Son **piètre** état attestait qu'il s'était battu avec d'autres chiens et des **miliciens**. Nous l'avons **retapé** et, comme il semblait se plaire en notre compagnie, nous l'avons gardé. Chaque soir, avec mon père, on l'emmenait à Bougival courir autour de la **datcha** d'Yvan Tourgueniev. Une patrouille allemande vint à passer. Moïse sauta à la gorge de l'officier. Un soldat l'**abattit** sur place et lui **fracassa** le crâne à coups de crosse cependant que deux autres **vert-de-gris** nous menaçaient de leur **mauser**. Papa leur expliqua dans un allemand impeccable que ce chien ne nous appartenait pas. On nous demanda nos « **papirs** ». Mon père était sorti sans. Les soldats le forcèrent à **s'agenouiller** devant l'officier, lequel tira son revolver de son **étui** et appliqua le canon contre la **tempe** de Dimitri. J'étais terrorisé. Mon père **bredouilla** quelque chose que je ne compris pas. L'officier aux yeux **de faïence** me fit signe d'approcher.

– Ton père… Terrorist !

– Non, dis-je. Pianiste !

J'ignore ce que ce mot provoqua chez nos **bourreaux**, mais on nous laissa miraculeusement partir.

Après le drame des Sternberg, le **ressentiment** de ma grand-mère pour ma mère **vira** à l'obsession. « Elle **porte malheur** à tous ceux qu'elle approche ! » Ce genre de remarque, fort heureusement, ne sortait pas des quatre murs de sa **thébaïde**, et j'étais le seul à en subir la rage **outrancière**.

Papa, quant à lui, poursuivait sa lutte en solo. Après l'usine, **délaissant** son clavier, il s'enfermait à la cave jusqu'à parfois laisser filer l'heure sacro-sainte du dîner. Par le **vasistas** entrouvert s'échappaient les **volutes** des cigarettes qu'il consommait sans modération, penché sur son **établi**. Maman mit un certain temps à percer cet écran de fumée. Son incorrigible époux avait **ressorti** le vieux carnet de moleskine renfermant les plans et les formules de la machine infernale destinée **jadis** à transformer Lénine en **chair à pâté**. Ce fut la première et la seule fois que je vis ma mère se mettre en colère. Le carnet finit dans la **cuisinière à bois**, et papa, contraint de renoncer à ses **velléités** d'attentat contre Hitler, reprit l'habitude de dîner en famille après s'être offert deux, trois rounds avec Face de Chou, histoire de se calmer les nerfs.

au pas de charge in double-quick time

entamer harming, weakening

maigri lost weight

frimousse little face

accusait took on

pâleur de lys paleness of a lily

mener de front juggle, manage at the same time

lâcheté cowardice

chars Leclerc pavoisés General Leclerc's tanks decorated with flags

ceint wreathed

écharpe sash

en liesse rejoicing

cocardière jingoistic

abattu killed

colonne Morris cylindrical structure used for posting advertisements

rasoir mécanique mechanical razor. After the war, some 20,000 French women accused of collaborating with the Germans (this often meant "horizontal collaboration" or sleeping with the enemy) were punished by having their heads shaved.

Sigmaringen town in southern Germany. Members of the Vichy government as well as such anti-Semitic authors as Céline fled to Sigmaringen after the Allied invasion of France in 1944

haine hatred

traîné dragged

Rebatet Lucien Rebatet (1903–1972), French author and outspoken anti-Semite

veille eve

procès trial

de bois unmoved

Claquemuré Holed up

ses proches those close to him

fermer son clapet shut his mouth

décocher letting fly, firing off

piques barbs

martinets swifts

sifflets whistles

surveillants school monitors, assistants

globules red blood cells

Les restrictions ajoutées aux incessantes allées et venues entre Billancourt et Chatou **au pas de charge** pour respecter le couvre-feu, la tension permanente dans laquelle nous vivions, tout cela avait fini par **entamer** sérieusement la santé de maman. Elle avait beaucoup **maigri**, et la petite **frimousse** qui faisait tout son charme accusait une **pâleur de lys**. Cependant, elle s'efforçait de ne rien laisser paraître de sa fatigue, continuant à **mener de front** sa vie professionnelle et son rôle de mère et d'épouse.

J'avais 14 ans à la Libération. En matière d'ignominie et de **lâcheté**, je pensais avoir fait le tour de la question. Cette année-là, il neigea au mois de mai. En août, les **chars Leclerc pavoisés** descendaient les Champs-Élysées noirs de monde. Debout à l'arrière d'une jeep américaine, Émile Demoek, **ceint** de l'**écharpe** tricolore, saluait les Parisiens **en liesse**.

Tout le monde ne partageait pas l'euphorie **cocardière**. Secret d'État avait été **abattu**, avenue Bosquet, au pied d'une **colonne Morris**. Évelyne Lambert, menacée du **rasoir mécanique**, avait fui en Amérique du Sud. Réfugiés politiques au château de **Sigmaringen**, dans le Bade-Wurtemberg, le docteur Destouches et sa femme s'apprêtaient à affronter la **haine** de toute une nation. Quant au patron de ma mère, Robert Denoël, **traîné** devant les tribunaux pour avoir publié Céline et **Rebatet**, il allait finir assassiné, boulevard des Invalides, la **veille** de son **procès**.

Ces événements petits et grands laissaient mon père **de bois**. **Claquemuré** dans son escargotière, il n'écoutait même pas la radio. Sourd au conseil de **ses proches**, qui l'exhortaient à **fermer son clapet**, il s'était fait du tort par cette incapacité à résister au plaisir de **décocher** des **piques**, qu'il devait là encore tenir d'Anastasie. À propos, ma grand-mère n'habitait plus cours Montaigne, qu'emplissaient à nouveau les cris des **martinets** et les **sifflets** des **surveillants**. Elle était partie se refaire des **globules** dans le chalet de son père, à Vevey. Elle m'envoya une carte postale pour mon anniversaire. Elle y joignit un peu d'argent, qui devait grossir le « trésor de guerre », conformément à notre fameux arrangement.

glauque sinister

épuration postwar period of "purging" France of its collaborators. It included official trials and punishments, as well as summary executions of collaborators.

règlements de comptes settling of accounts

siégea had its seat

limogeage dismissal

cadres executives, company officers

semaine sainte Holy Week, *i.e.,* the week preceding Easter

cloches idiots

marrer laugh

partagée shared

statuaient presided, ruled

le lui faire payer make him pay for it

à l'emporte-pièce swift and surgical

éhontés shameless

lâcheté cowardice

entérina assented to

virer dismiss, fire

la tête dans le pâté in a sorry state, with a bad hangover (a pun on *Pathé*)

exutoire outlet

désarroi disorder

montés à l'envers had things upside down

débarquait disembarked

renvoi dismissal

égarement aberration, distraction

apatride stateless person

collait aux basques stuck like glue, followed around

saigner bleed

fatum destiny

Perdant A loser

il aurait beau try as he might

remuer to move

plat à barbe barber's basin

ailes des moulins à vent windmills

Pour en revenir à papa, voici ce qui s'était produit quelques jours après le suicide d'Adolf et d'Eva en leur bunker berlinois. Durant cette période assez **glauque** où l'**épuration** mélangea les accusations justifiées aux **règlements de comptes** sommaires, un tribunal d'exception **siégea** aux usines Pathé et promulgua le **limogeage** de tous les **cadres** sous les prétextes les plus arbitraires. À propos des Anglais bombardant Paris, en avril 44, au beau milieu de la **semaine sainte**, mon père avait dit : « Ils feraient mieux de nous envoyer des œufs en chocolat, cette bande de **cloches** ! » Moi, ça m'avait bien fait **marrer**, mais il faut croire que l'humour, comme le bon sens, est la chose du monde la moins **partagée**. En réalité, papa n'avait jamais fait mystère de ses opinions anticommunistes, et les membres du Parti, qui **statuaient** majoritairement dans ce fameux tribunal, trouvèrent là une bonne occasion de **le lui faire payer**. Ces jugements **à l'emporte-pièce** n'étaient pas seulement **éhontés**, ils ne reposaient sur aucune base légale, mais, par **lâcheté**, la direction **entérina** la décision de **virer** papa et ses collègues de chez Marconi, et l'on se retrouva du jour au lendemain **la tête dans le pâté**.

1946. Le jazz explosait à Saint-Germain-des-Prés. Cette formidable joie de vivre servant d'**exutoire** à cinq ans de frustration contrastait avec la tristesse et le **désarroi** qui régnaient à la maison. Décidément, nous – les Radzanov – étions **montés à l'envers**. L'Amérique **débarquait**. Tout semblait OK. Complètement K-O, mon père n'avait plus de goût à rien. Ce **renvoi** brutal, précédé de cette parodie de procès à la Franz Kafka, l'avait précipité dans un état d'**égarement** proche de la folie. Il ne savait plus où il en était. Pire, il ne savait plus qui il était. Il avait cessé d'être russe et la France, qu'il avait adoptée, cette patrie de substitution pour laquelle il s'était battu, le rejetait. D'**apatride**, il était devenu paria. Cette humiliante dégradation avait réveillé le complexe de défaite qui lui **collait aux basques** depuis le désastre de 17. La vieille blessure s'était remise à **saigner**. On ne pouvait pas lutter contre son **fatum**. **Perdant** il était né. Et **il aurait beau** lutter, protester, **remuer** ciel et terre, se mettre un **plat à barbe** sur la tête et se battre contre les **ailes des moulins à vent**, perdant il mourrait.

au paddock in bed
bouda shunned
Araignée noire "Black Spider"; nickname of Lev Yachine
  (1929–1990), a famous Russian soccer goalkeeper
Touchino Russian city near Moscow
gardien goalkeeper
se déployant moving about, covering the space
mygale spider
tissant sa toile weaving her web
presse à vis papillons butterfly-screw press
gambiller dance
reluquer eye, ogle
montée de sève rising sap
se complaire to enjoy himself, find pleasure
pancarte « licencié » sign saying "laid off"
phylactère speech balloon
rebuffades rebuff, snub
compassés stiff
fauve blessé wounded beast
tanière den, lair
tournée des zincs visit/tour of the bars
débine adversity
rancœur bitterness
tirant à boulets rouges attacking in violent terms

faire bouillir la marmite put bread on the table
guets watches, patrols
muguet lily of the valley

acier steel
Saint-Lazare train station in Paris

Le dimanche matin, au lieu d'aller au foot, il restait **au paddock**. Il **bouda** même la venue de l'**Araignée noire** au stade de Montesson lors d'une rencontre amicale opposant l'équipe des usines Pathé à celle de l'usine de **Touchino**. Dommage! Il aurait pu être le premier à dire tout le bien qu'il pensait de ce Yachine, **gardien** au célèbre habit noir, lequel, dans les années 60, allait faire triompher l'équipe d'URSS en **se déployant** devant le but à la manière d'une **mygale tissant sa toile**.

Sa raquette, serrée dans sa **presse à vis papillons**, ne quittait pas le dessus de l'armoire. On se remettait pourtant à **gambiller** sur les cours du Vésinet, en tenue légère. Je commençais à **reluquer** les jambes des filles et cela devenait de plus en plus insupportable : toute cette **montée de sève**, ce printemps dans les cœurs et la noirceur où Dimitri semblait **se complaire** et nous entraîner, ne faisant même pas l'effort de rechercher du travail. Sans titre d'ingénieur et avec cette **pancarte «licencié»** qu'il portait comme un **phylactère**, il ne pouvait espérer au pire que des **rebuffades**, au mieux des sourires **compassés**.

Le **fauve blessé** ne quittait sa **tanière** que pour accompagner Charlie Flag dans sa **tournée des zincs** de banlieue, où les deux amis, unis dans la **débine**, laissaient parler leur **rancœur** en **tirant à boulets rouges** sur le monde entier.

Malade, diminuée, Violette s'exténuait à **faire bouillir la marmite**. Il m'arrivait, après le lycée, d'aller l'attendre à la sortie de son travail. Ces **guets**, rue Amélie, resteront toujours associés dans mon esprit à l'odeur du **muguet**. Juste en face de chez Denoël se trouvait un fleuriste. Une publicité peinte sur la façade m'intriguait :

« Il n'y a pas d'industries de luxe,
il y a des industries françaises.
La FLEUR pour les Français qui en vivent est aussi importante que
L'ACIER. »

On rentrait en train après avoir gagné à pied **Saint-Lazare**. Je donnais le bras à maman, qui ne pesait pas plus lourd qu'un ballon d'enfant. Sans le dire, nous appréhendions tous deux de retrouver

plombée leaden

pourrissait was rotting away

vie active work force

coup de grâce final blow

fléchir be moved, be swayed

air tune

Le Train sifflera trois fois *High Noon* (1952), Fred Zinnemann's classic western film starring Gary Cooper and Grace Kelly

bouchée choked, dead-end

à mon secours to my aid

crapaud *here:* small baby grand (*literally:* toad)

guimbarde mediocre instrument

malgré tout despite everything

prouesse prowess

éclat brilliance

versait lapsed into

chevauchaient à l'empyrée rode around like gods

ramaient rowed

galériens galley slaves

fétides fetid, stinking

Styx river separating Earth from the Underworld in Greek mythology

Salieri Antonio Salieri (1750–1825), Italian composer and conductor at the Austrian court whose musical successes were overshadowed by those of Mozart

nous égosiller shouting ourselves hoarse

bas de laine nest egg

force majeure unforeseeable and overpowering circumstances

aval support

« cochon » piggy bank

Lesté Weighted down

coquette tidy, considerable

facteur d'orgues organ maker

dégota found

occasion used instrument

quasiment virtually

l'atmosphère **plombée** du petit pavillon où mon père **pourrissait** sur pied. Je voulais interrompre mes études pour me lancer dans la **vie active**. Rassemblant ses dernières forces, maman y mit tout de suite son veto. Renoncer à la médecine, ce serait assurément pour mon père le **coup de grâce**. Je me laissai **fléchir** par l'**air** du *Train sifflera trois fois* : « Si toi aussi tu l'abandonnes… »

Le plus dur, c'était le silence. Le piano restait fermé. Je n'arrivais plus à me concentrer sur mes leçons, cherchant dans ma tête un horizon à cette vie **bouchée**. Il fallait agir vite et frapper fort. Face de Chou vola indirectement **à mon secours**.

Juste avant la guerre, ma grand-mère s'indignait à propos du **crapaud** sur lequel était contraint de jouer mon père, alors qu'Horowitz « roulait en Steinway ». Elle en riait de colère, trouvant injuste que le meilleur des deux se traînât une telle **guimbarde**. Qu'il pût en tirer **malgré tout** des sonorités sublimes donnait bien sûr à sa **prouesse** un **éclat** supplémentaire. Sa bile s'échauffait et elle **versait** alors dans la métaphysique, s'interrogeant d'un timbre haut perché sur le mystère des destinées. Qu'est-ce qui faisait que les uns **chevauchaient à l'empyrée** et que les autres **ramaient** comme des **galériens** sur les eaux **fétides** du **Styx** ? Sûrement pas le talent ! Dans le secret de son cœur, elle continuait à croire que son fils était à Volodia ce que Mozart était à **Salieri**. « Ah ! si ton père avait possédé un Steinway, nous ne serions pas là à **nous égosiller** ! »

Prenant mon courage à deux mains, j'écrivis à ma grand-mère. Je désirais vider mon **bas de laine**, principalement garni de l'argent qu'elle m'avait donné pour que je parle d'Horowitz à mon père – le fameux trésor de guerre auquel je ne devais toucher qu'en cas de **force majeure**. Par retour du courrier, Anastasie me donna son **aval**, tout heureuse que je n'aie rien dilapidé et se réjouissant de l'usage « si romantique » que je comptais faire de notre « **cochon** ». **Lesté** d'une **coquette** somme, j'allai consulter un ancien collègue de chez Pathé qui avait trouvé à s'employer chez un **facteur d'orgues** de Jouy-en-Josas. Il me **dégota** une **occasion quasiment** neuve. Oh ! ce n'était

convoité coveted
Érard French piano maker
demi-queue parlor grand piano
sans commune mesure incommensurable
porte-faix porters, movers
livrer to deliver
dérangement fuss, commotion
huile de coude elbow grease
entraîna involved
vitrier glass cutter
engueula bawled out
touché touched, moved
offrande offering
du bon pied on the right foot
vaincre overcome

singerie monkey cage
une bouchée de pain cheaply, for hardly anything
sommeil sleep
endurci hardened
monoplace one-person car
cambouis grease
24 Heures du Mans endurance road race held annually in Le
    Mans, France
en pleine course in the middle of the race
tuyau hose, tube
caoutchouc rubber
braguette fly of his pants
piste racetrack
veille the eve
canule urinaire *i.e.,* the rubber hose

mordant "bite", energy, spirit
funambule tightrope walker

pas le Steinway tant **convoité** par ma grand-mère, mais un **Érard demi-queue** tout à fait acceptable, en tous les cas **sans commune mesure** avec le crapaud. Nous le conserverions comme talisman. Après tout, il nous avait protégés durant les bombardements.

Ce fut mon père qui ouvrit aux deux **portefaix** venus **livrer** le morceau. Comme il ne passait pas par la porte, il fallut l'introduire par le bow-window du salon, ce qui occasionna un **dérangement** considérable, fit couler des litres d'**huile de coude** et **entraîna** le passage du **vitrier**. Mon père m'**engueula** copieusement pour ce «cadeau empoisonné», ce qui était sa façon de montrer qu'il était **touché**. Et puis, au regard doux et fatigué de maman l'implorant d'accepter cette **offrande**, il comprit qu'il avait assez fait l'imbécile et qu'il était grand temps de repartir **du bon pied**. Un autre événement l'aida à **vaincre** sa déréliction.

Charlie Flag habitait un grand appartement juste en face de la **singerie** du cirque Medrano. Il le louait **une bouchée de pain** à cause des animaux qui gueulaient toutes les nuits, rendant le **sommeil** impossible. Noctambule **endurci**, Charlie se moquait bien du rire des macaques. Il y voyait comme un salut confraternel. Il fabriquait une **monoplace** dans son salon envahi de papiers journaux censés protéger le parquet du **cambouis**. Son but était de participer au **24 Heures du Mans**. Il avait inventé un système pour pisser **en pleine course**. Un **tuyau** en **caoutchouc** reliant sa **braguette** à la **piste**. Le 7 mars 1947, **veille** de ses 40 ans, Charlie Flag se suicida dans son salon-garage en inhalant les gaz d'échappement de son prototype avec sa **canule urinaire**.

Papa sortit donc de son dangereux renoncement et vint reprendre sa place parmi le cercle des vivants. Il avait retrouvé son **mordant** grâce à l'affection de ses proches et à la musique. Je crois, sans être un spécialiste, que c'est à ce moment de notre vie que le virtuose qui sommeillait en lui se rapprocha le plus de la perfection. Ce n'était plus le **funambule** du clavier, mais un homme revenu de tout qui laissait parler son cœur. Non, sa musique n'a jamais été aussi belle qu'en ces longs jours d'été, à Chatou, où il jouait sans se battre contre un

relâchement abandon
égalé equaled, rivaled
prodiguait lavished on
témoignait showed

Vint There came
déniché found
colle glue

en dents de scie uneven, with ups and downs (*literally:* sawtoothed)
entremise intervention

surmontant overcoming
indicible unspeakable
morceau piece of music
à la dérobée furtively
d'antan of yesteryear
s'acharnait was trying desperately
dessiner etch, draw
suppliais beseeched, implored
abîmes abysses
décharnée gaunt
cernés ringed
s'éloignait was slipping away
davantage more and more
griffes claws
adorée beloved
écoulement flow
remonter rewind, reset
grande aiguille big hand [of a clock]

enterrer abandon

fantôme, mais avec un **relâchement**, une liberté qui communiquaient à ses interprétations un bonheur jamais **égalé**. Il le faisait pour nous seuls, ce qui ajoutait à sa performance, et nous ne pouvions douter que c'était bien l'amour – celui qu'on lui **prodiguait** et celui qu'il nous **témoignait** – le moteur de sa renaissance.

Vint la terrible année 1948. Deux à trois fois par semaine, maman devait se rendre à l'hôpital Cochin, où elle était suivie désormais. Papa avait **déniché** un vague emploi dans une usine de **colle** située porte de Charenton. De mon côté, je poursuivais une scolarité **en dents de scie** au lycée Janson-de-Sailly où l'on avait pu m'inscrire grâce à l'**entremise** d'un professeur bienveillant. Entre le travail, les trajets et les soins, la musique demeurait notre seul ciment.

Quand, tard le soir, papa, **surmontant** sa fatigue, nous régalait d'une sonate de Prokofiev ou d'un adagio de Chopin, la poussière et l'anxiété accumulées tout au long du jour se dissipaient pour faire place à un **indicible** bien-être. Nous étions tous les trois unis et heureux le temps d'un **morceau**. J'observais ma mère **à la dérobée** et je retrouvais un peu de sa fraîcheur **d'antan** derrière le masque effrayant que la maladie **s'acharnait** à lui **dessiner**. Et je **suppliais** mentalement mon père de ne pas s'interrompre, conscient qu'à peine le silence revenu maman replongerait dans des **abîmes** de souffrance et redeviendrait cette créature **décharnée**, aux yeux **cernés** de noir, qui **s'éloignait** chaque jour **davantage** sans que nous puissions la retenir. «Joue, je t'en prie. Ne t'arrête pas!» Et papa jouait, jouait, jouait, luttant de toutes ses forces contre l'ennemi implacable qui tenait serrée entre ses **griffes** son **adorée**, s'efforçant d'arrêter l'**écoulement** du temps, lui qui autrefois mettait un point d'honneur à **remonter** le carillon et repousser la **grande aiguille** sur l'heure exacte.

Dans les eaux glacées de février 1949, le docteur qui la soignait à Cochin conseilla à maman un séjour au sanatorium, sans cacher à mon père le peu d'illusions qu'il nourrissait quant au résultat. Pour ne pas **enterrer** tout espoir, il ajouta : « On peut être pessimiste et continuer à y croire ! »

s'emporta lost his temper

morgue arrogance

inqualifiable indescribable, scandalous

se vantait boasted

à treize coups striking thirteen

recourir turn to, resort to

soi-disant so-called

savants scholars

toussoteux coughing

concurrence competition

brandissant brandishing

fauchés broke, poor

arlequins Harlequin, a comic servant character in Italian *commedia dell'arte*

à demi-mot without having to spell things out

désoler distress, upset

inanité futility

tempêté ranted and raved

Gorowitz Horowitz

recoller get stuck once more

pestant cursing

estivants summer vacationers

barbaresques barbarous

hivernants winter visitors

fouler tread

mâchefer cinder, clinker (construction material)

ému moved, touched

grand dadais gangly young man

se mettre en colère get angry

ôté removed

filet net

emmitouflée bundled up

arbitre referee

feignîmes pretended

disputer play

Papa **s'emporta** contre ce mandarin à la **morgue inqualifiable**, qui **se vantait** presque de ne pas croire en ce qu'il faisait. Remonté comme une pendule **à treize coups**, il essaya de **recourir** à la « science parallèle » – tous ces **soi-disant savants** qui, sur le dos des **toussoteux** moribonds, se livraient une **concurrence** acharnée en **brandissant** chaque jour ou presque une thérapie révolutionnaire, un remède infaillible. Seul petit problème, ces charlatans faisaient payer fort cher leur intervention et nous étions **fauchés** comme des **arlequins**. Je tentai de raisonner mon père en lui faisant comprendre **à demi-mot**, et en veillant à ne pas le **désoler** encore plus, toute l'**inanité** de sa démarche.

Au bout du compte, et après avoir bien **tempêté**, il revint au conseil du patron de Cochin.

Nous irions en Suisse, là même où des années plus tôt il avait passé des vacances en compagnie du bon vieux **Gorowitz**. Ma grand-mère avait depuis longtemps déserté le chalet grand-paternel pour **recoller** à l'ennui et à la torpeur des jardins de la villa Serena, à Menton, **pestant** contre les **estivants**, ces modernes **barbaresques** qui faisaient de plus en plus d'ombre aux **hivernants**. Nous avions le champ libre.

C'était la première fois que nous partions en vacances tous les trois. La montagne, je ne la connaissais qu'à travers les récits de ma grand-mère et les rares photos prises avant la Révolution, lorsque les frères Radzanov débarquaient sur les bords du Léman, leur raquette sous le bras. Cela me fit tout drôle de **fouler** à mon tour le **mâchefer** de la gare de Vevey. Et je crois que papa n'était pas moins **ému** de retrouver le décor de sa jeunesse avec, marchant à ses côtés, un **grand dadais** qui, du moins physiquement, était la copie conforme du jeune homme qu'il avait pu être.

Il insista pour qu'on joue au tennis. Il promit de ne pas se **mettre en colère**. Je lui fis remarquer que nous n'avions ni raquette ni balle et qu'on avait **ôté** le **filet** du cours fermé durant la morte saison. « Et alors ? me dit-il. Je ne vois vraiment pas où est le problème ! » Il fit monter maman bien **emmitouflée** sur la chaise d'**arbitre** et nous **feignîmes** de **disputer** un set, en mimant chaque échange avec des

battis beat
s'inclina accepted defeat

quatre cents coups troublemaking, hell-raising (*literally:* four hundred blows)
à la barbe de scoffing at
sacré tandem hell of a duo
loue hire
vignes vineyards
accrochées clinging
train à crémaillère cog train
nous sert served us
en guise d'entrée as an appetizer
fait du gringue hits on, tries to seduce
bavarois Bavarian
Soufflet Slap
pré meadow
épaule shoulder
enterre la hache de guerre buries the hatchet
se frotte rubs up against him
Qu'à cela ne tienne, on remet ça. Never mind that, they just start all over again.
en écharpe bandaged up, in a sling
panière basket

pudiques modest
funèbre funeral
pas de deux dance performed by two people
m'accrochant clinging

boules de neige cependant que ma mère annonçait les points. Ce fut l'unique fois que je **battis** mon père et qu'il **s'inclina** avec le sourire.

À Vevey, je découvre un père inconnu. Sa sévérité l'a quitté et il parle avec chaleur de sa période d'avant l'exil. Il évoque son frère et les **quatre cents coups** qu'ils ont pu faire **à la barbe** d'Anastasie. Un **sacré tandem**, les Radzanov brothers. Unis comme les doigts de la main.

Dimitri insiste pour nous emmener déjeuner à Montreux. On **loue** un taxi. Il nous fait faire le tour des **vignes accrochées** à flanc de montagne et qu'un petit **train à crémaillère** permet de cultiver. Puis il nous invite dans le même restaurant où, vingt-cinq ans plus tôt, Fédor s'est distingué. Dimitri vide son verre et **nous sert** l'anecdote **en guise d'entrée**.

— Mon frère qui a trop bu **fait du gringue** à la femme de son voisin, un touriste **bavarois**. Dispute. **Soufflet**. Les deux hommes se battent en duel à six heures du soir, dans un **pré**, non loin du lac. Fédor blesse le Bavarois à l'**épaule**. Un peu plus tard, on **enterre la hache de guerre** au bar d'un dancing. Mon frère, le Bavarois, sa femme et moi. La vodka coule à flots. Fédor danse avec la femme, qui **se frotte** un peu trop au goût du mari. **Qu'à cela ne tienne, on remet ça**. À six heures du matin, les deux hommes se font à nouveau face, arme à la main. À midi, tout le monde se retrouve au restaurant. Cette fois, le Bavarois a les deux bras **en écharpe**. Une marchande de roses promène sa **panière** entre les tables. Fédor se tourne vers son adversaire et, le plus poliment du monde, lui demande la permission d'offrir des fleurs à sa femme. L'autre voit rouge. Alors Fédor ajoute :

«Vous auriez eu les mains libres, je n'aurais pas eu ce privilège!»

Nous rentrons à la nuit. Ma mère a fermé les yeux et se laisse aller contre l'épaule de mon père. Elle sourit. Je n'ai jamais vu mes parents, si **pudiques**, se comporter avec autant de tendresse.

Ce qui aurait dû être une marche **funèbre** a pris l'allure d'un dernier **pas de deux** sublime et bouleversant. Je les laisse le plus souvent seuls, **m'accrochant** à l'espoir que l'amour de Dimitri triomphera du petit

rongeur ravaging disease
grignote gnaws away at
poumons lungs
arpenter pacing up and down
faisant des ricochets skipping stones
galets pebbles
enjambe step over
déchiqueté torn to pieces
cygne swan
s'éteignit died
souffle breath
chevet bedside
jaillir surge
révisais was studying for
ruisselais was dripping with sweat
vasistas louvre window
grands ouverts wide open
fraîcheur cool air
orage storm
en germe brewing
mûrir ripen
Délaissant Abandoning
enfoui buried
paumes palms of his hands
pendait was hanging
coupelle small dish
plateau turntable
copain friend, *i.e.,* Horowitz
donner la réplique à play opposite, give a musical reply to
relever le gant accept the challenge

plaquer striking
aiguille needle
supplice torture, agony
emplit filled

rongeur qui **grignote** les **poumons** de Violette. Je passe des heures à **arpenter** les rives du lac, y **faisant des ricochets**, respirant à fond l'air glacé. En rentrant de la plage de **galets**, le dernier soir, j'**enjambe** le cadavre **déchiqueté** d'un **cygne** victime d'un prédateur.

Ma mère **s'éteignit** à Chatou quelques mois après ce séjour doux et lumineux, empreint de nostalgie. C'était le 12 juin 1949. Jusqu'à son ultime **souffle** de vie, elle conserva son sourire et sa candeur. Les derniers jours de son agonie, papa ne quittait plus son **chevet**. Il lui tenait la main et lui parlait tout bas. Et puis, sans doute à la demande de maman, il alla se mettre au piano et joua le dernier mouvement d'une sonate de Mozart, faisant **jaillir** trente, quarante couleurs différentes.

Installé dans ma chambre au premier, je **révisais** mon baccalauréat. Il devait être sept heures du soir et je **ruisselais**. La porte et le **vasistas** étaient **grands ouverts**. Aucune **fraîcheur** ne circulait. Les feuilles des tilleuls ne bougeaient pas. L'**orage en germe** depuis midi continuait à **mûrir**.

La musique s'interrompit soudain. **Délaissant** mes manuels, je rejoignis le rez-de-chaussée. Mon père ne jouait plus. Il avait **enfoui** son visage dans ses **paumes** et pleurait à chaudes larmes. Je pénétrai dans la chambre et m'approchai du lit où maman reposait. Sa main gauche **pendait** au-dessus d'une **coupelle** de fraises sauvages placée sur la table de chevet. Je lui fermai les yeux. Puis je me dirigeai sans bruit vers l'électrophone et plaçai un disque, le premier qui vint, sur le **plateau**. C'était la *Méphisto-Valse* de Franz Liszt, interprétée par son bon vieux **copain** de New York. Papa connaissait ce morceau par cœur et je n'avais pas besoin de sortir la partition et de tourner les pages. Dominant son chagrin, il essaya de **donner la réplique** à Horowitz, mais ses mains tremblaient. Je me tenais debout à ses côtés, les bras le long du corps, l'exhortant mentalement à **relever le gant**. Papa fit une nouvelle tentative, mais ça allait beaucoup trop vite. Il pressait ses phalanges les unes contre les autres, incapable de **plaquer** un accord. Je relevai l'**aiguille** de l'électrophone, mettant fin au **supplice**. Le silence **emplit** la pièce. Je serrai mon père dans mes bras.

retarda delayed

enterrement burial

écrit du bac written portion of the French *baccalauréat* exam

ratai failed

repêché fished out, allowed through

livret scolaire grades, report card

rappliqua came back

dare-dare posthaste, at top speed

efface erases

pétait le feu was still kicking, still had her spark (*literally:* was farting fire)

abattement dejection

appartenait belonged

luttent fight

lépreuse leper

s'en sorte pull through, cope

emmuré walled up

se rabattait sur fell back on

à vau-l'eau down the drain

pince claw

poignet wrist

mèches tufts of hair

lâcher letting out

emmerdes annoy the hell out of

affront insult

affalé slumped

banquette bench seat

canapé sofa

dégoté found

puces flea market

hors de question out of the question

robe de bure frock

costume suit

survécu survived

On **retarda** l'**enterrement** pour me permettre de passer l'**écrit du bac** deuxième partie. Je **ratai** complètement l'épreuve et fut **repêché** grâce à mon **livret scolaire** et, je pense aussi, compte tenu des circonstances dramatiques. La place étant libre, ma grand-mère **rappliqua dare-dare**. Pour elle, la vie continuait, ou plutôt reprenait après une parenthèse malheureuse. On **efface** tout, on recommence. À bientôt 80 ans, elle **pétait le feu** et ne comprenait pas notre **abattement**. Cette pauvre Violette, on ne pouvait plus rien pour elle à présent. Le monde **appartenait** à ceux qui **luttent**. Lorsque les rouges lui avaient massacré son mari et qu'elle s'était retrouvée chassée de Russie comme une **lépreuse**, il avait bien fallu qu'elle **s'en sorte**. Comment serions-nous vivants si elle ne s'était pas battue avec la dernière énergie ?

– Allons, secoue-toi un peu ! disait-elle à Mitia, lequel, **emmuré** dans sa peine, ne l'entendait pas.

Alors elle **se rabattait sur** moi, m'exhortant à me montrer à la hauteur, oubliant toutes ses grandes théories sur l'hérédité, qui ne jouaient pas spécialement en ma faveur. Si j'avais un peu de sang Radzanov, c'était le moment ou jamais de le prouver, non ? Nous n'allions pas laisser la maison partir **à vau-l'eau** tout de même ! Elle me parlait droit dans les yeux, sa **pince** de crabe serrée sur mon **poignet** en agitant ses trois **mèches** folles jusqu'à ce que, à bout de nerfs, ne pouvant plus en entendre davantage, je finisse par **lâcher** :

– Grand-mère, tu NOUS **emmerdes** !

C'était un cri du cœur, prononcé sans le moindre calcul, mais avec tout de même l'espoir qu'un tel **affront** chasserait la tornade Anastasie par la fenêtre.

Sans un mot, elle traversa le salon et vint se planter devant papa, **affalé** dans l'Orient-Express (une **banquette** de train servant de **canapé** que le père Sternberg avait **dégoté** aux **puces**).

– Écoute-moi bien, Mitia, lui dit-elle. Il est **hors de question** que je t'abandonne. Tu m'entends, hors de question. À présent, fais-moi le plaisir d'ôter cette **robe de bure** et de passer un **costume**. Il est huit heures moins cinq. À huit heures vingt, nous devons être en état de recevoir nos amis !

Elle avait tout prévu. Les amis – du moins ceux qui avaient **survécu**, les mêmes qui quelques jours plus tôt avaient conduit maman

chargés full, laden
cueillis gathered
gueule de travers twisted face
vu given
délabrement dilapidated state
appareil vocal voice box
amuse-gueule appetizers
moisi mold
mielleuse honeyed
susurrait whispered
couler à pic fall overboard, go under

achever finish
pourrir spoiling
s'éteindre to die
belle-fille daughter-in-law
décès deaths
gageons let's wager
âme soul
chair flesh
empoisonner bother, bug
ennui boredom

puisés dans drawn from
Caramia *i.e.,* Anastasie
recouchée lain down again
rendormie fallen back to sleep
remarqua noticed
s'entretenir talk, converse
grilles gates
couvert place setting

canapé ferroviaire railway couch; the "Orient Express" bench
couverture blanket
enfile slip on

au cimetière – arrivèrent avec même un peu d'avance, comme les indestructibles Effimof, les bras **chargés** de légumes **cueillis** au jardin. Puis ce furent au tour de tonton Freddy et de ses trois fils, qui étaient des hommes à présent. Sans oublier le fidèle Girardot et sa **gueule de travers**, le seul à ne pas parler russe, mais, **vu** le **délabrement** de son **appareil vocal**, il était préférable qu'il demeure silencieux. Grand-mère avait mis les petits plats dans les grands et agissait en vraie maîtresse de maison, allant de l'un à l'autre, en distribuant les **amuse-gueule**, qui, comme tout ce qu'elle servait, avaient goût de **moisi**. Chaque fois qu'elle me croisait, elle m'adressait son plus beau sourire et, d'une voix **mielleuse**, me **susurrait** : « Mange, mon chéri ! » Papa (toujours en robe de chambre) n'avait pas quitté l'Orient-Express. Il se laissait **couler à pic** au milieu des témoins de sa vie.

Voilà. Je vais laisser ma grand-mère **achever** de **pourrir** un peu plus la chronique familiale. Ce personnage qui avait passé sa vie à faire des histoires à propos de tout allait **s'éteindre** un an après sa **belle-fille** et, bien que rien ne permette d'établir un lien de cause à effet entre les deux **décès**, **gageons** que, n'ayant plus d'**âme** à tourmenter ni de **chair** à **empoisonner**, la terrible Anastasie avait fini par succomber à l'**ennui**.

C'était un dimanche d'automne 1950. Après s'être levée à quatre heures du matin pour procéder au rituel de la demi-tasse de thé avec deux biscuits extra-durs, **puisés dans** sa vieille bonbonnière, **Caramia** s'était **recouchée** et **rendormie** pour l'éternité. Une mort sans éclat, que d'ailleurs personne (dans la maison) ne **remarqua**. À onze heures et demie, mon père se rendit au cimetière selon son habitude, pour **s'entretenir** avec le fantôme de Violette jusqu'à la fermeture des **grilles** et ce n'est qu'à sept heures et demie – moment sacro-saint du souper – qu'il devint clair à nos yeux qu'il allait y avoir désormais un **couvert** de moins à table. Ce départ d'une rare discrétion nous faisait presque oublier les sorties spectaculaires et fracassantes de son répertoire.

À présent, c'est moi qui prépare le thé. Seul, dans la nuit, avant de prendre mon train pour Paris. Papa dort encore dans le vieux **canapé ferroviaire**. Je relève sa **couverture**, **enfile** ma parka.

nid nest

régnaient reigned, prevailed

cancanait gossiped

bêchant digging

carré patch

batavias Batavia lettuce

se rassasient feed on, sate themselves

autrui others

porte-clefs key holder

sifflet d'arbitre referee's whistle

comme pas un like no one else

mi-temps halftime

n'ai pas à don't have to

accabler overwhelming

panade state of need

renoncer à give up

À défaut de For lack of

briller shining

planches stage

éclaire illuminate, shine the light on

Serge Reggiani (1922–2004) Italian-born French singer, actor, and painter

Maria Casarès (1922–1996) Spanish-born French actress best known for her work in theater

taillé sur mesure fitting, well-suited

figurante extra, walk-on actress

ombre shadows

gardes hospital shifts

pleuvoir rain down

magie magic

Salpêtrière teaching hospital in Paris

défiler pass by

voie ferrée railway tracks

écrin de verdure sale dirty green setting

maître d'heure timekeeper

perdu la boussole lost his mind

bat wanders around

À la mort de ma mère, j'aurais souhaité qu'on vende la maison et qu'on quitte Chatou. Il n'y a rien de pire qu'un endroit où l'on a été heureux une fois que le malheur s'y est installé. Et il aime ça, le malheur, faire son **nid** là où **régnaient** la douceur et l'amour.

«Le vieux Radza est en train de crever comme un chien qui a perdu sa maîtresse.» Ainsi **cancanait** un voisin en **bêchant** son **carré** de **batavias**. Ces gens qui **se rassasient** de la douleur d'**autrui**. Il faut croire que ça les rassure.

Sur le **porte-clefs**, à droite de l'entrée, pend le vieux **sifflet d'arbitre** que mon père maniait **comme pas un**. À la **mi-temps** de cette histoire, je **n'ai pas à** m'interroger sur le choix de la stratégie : je serai médecin comme en a décidé celui qu'il n'est pas question d'**accabler** davantage. Toutefois, la **panade** où nous nous trouvons m'offre un bon alibi pour ne pas tout à fait **renoncer à** l'art dramatique. Mon père s'étant fait virer de sa fabrique de colle (un boulot auquel il n'avait jamais adhéré), j'assure le courant grâce à un emploi de projectionniste au théâtre Hébertot. **À défaut de briller** moi-même sur les **planches**, j'**éclaire** des acteurs aussi prestigieux que **Serge Reggiani** et **Maria Casarès**. Mettre en lumière les autres, voilà bien un rôle **taillé sur mesure** pour le fils d'une pâle **figurante** et d'un pianiste de l'**ombre**. Tous les soirs, après mes **gardes**, je gagne la cabine de projection et fais **pleuvoir** la **magie** sur la scène. Ce soir exceptionnellement, je quitte la **Salpêtrière** et rallie directement Chatou.

Je regarde **défiler** les petites maisons le long de la **voie ferrée** dans leur **écrin de verdure sale**. Dimitri n'en a plus pour longtemps. Le **maître d'heure** a **perdu la boussole**. Sa Longine est arrêtée sur sept heures du soir, qui est le moment où Violette nous a quittés. Depuis lors, le pauvre vieux **bat** la banlieue. Il va s'asseoir sur la tombe de

Gauloise famous French brand of cigarette
s'établira will settle, will set up shop
soignera les mains will care for the hands
en or golden
titubant staggering
s'écroule collapses
pénombre darkness
s'épaissit thickens

éparpillées scattered
bavera will be drooling
essuierai will wipe
ramasserai will pick up
m'attardant lingering

hors cadre outside of the frame
enfoncer crush, defeat

sale dirty
fondu melted
immeubles sociaux social housing
guérite guard booth
effluves smells, aromas
pot-au-feu beef and vegetable stew
thuyas evergreen trees

les siens hers, her cakes, *i.e.,* the cakes made by his wife Violette

grande nouvelle big news
sur les roses packing

sa femme et lui parle des après-midi entiers en fumant **Gauloise** sur Gauloise. Il lui raconte que son fils va devenir un grand médecin, un micro-chirurgien qui **s'établira** en Californie et **soignera les mains** des vieux pianistes. Une clientèle **en or**. En rentrant du cimetière, il ne manque jamais de s'arrêter au bar du coin de l'avenue de la Princesse. Il reste là une heure, parfois deux. Puis il rejoint en **titubant** la maison, **s'écroule** dans l'Orient-Express et contemple l'album de photos cependant que la **pénombre s'épaissit** autour de lui.

Je le découvrirai endormi, l'album aura glissé de ses mains, les photos seront **éparpillées** à ses pieds. Il **bavera**. Je lui **essuierai** la bouche. Je **ramasserai** les photos en **m'attardant** sur certaines, comme celle qui le montre plein centre, les cheveux en bataille, le sourire ravageur, éclipsant ses petits camarades du Conservatoire, à commencer par Gorowitz dont l'une des oreilles est **hors cadre**. Radzanov le grand, Mitia le magnifique. Celui qui devait tous les **enfoncer** est aujourd'hui tombé bien bas. Je replacerai l'album sur le piano fermé. Il ne jouera plus jamais. Son public, c'était elle.

Je sors de la gare et remonte vers la route des Maisons. De la neige tombée le matin forme à présent un sorbet d'un jaune **sale**, aux trois quarts **fondu**. Je passe devant les usines Pathé-Marconi en longeant le mur séparant les tombes des **immeubles sociaux** bâtis à coups de sable et de briques. Le cimetière ferme plus tôt en hiver. La **guérite** du gardien est éclairée. Des **effluves** de **pot-au-feu** flottent dans l'air, se mêlant à l'arôme des **thuyas**. Terrible saison où l'on sépare les vivants et les morts. L'été, papa peut rester plus tard auprès de ma mère.

Dimitri va avoir 54 ans. Ce soir, c'est son anniversaire. Pas de bougies parce que pas de gâteau. Il n'aimait que **les siens**. Et les pigeons aux petits pois de Nicolas Effimof. Quand c'était elle qui les cuisinait.

J'ai une **grande nouvelle**, que j'appréhende de lui annoncer. Il va m'envoyer **sur les roses**. D'ailleurs, comment ai-je pu être assez fou pour penser un seul instant qu'il me suivrait dans cette aventure ?

qu'il ne lui soit rien arrivé that nothing has happened to him

affalé slumped

établi workbench

chasse d'eau toilet flushing

poids weight

se reboutonnant buttoning his pants back up

cognons bump into

lui tends hand him

dirige runs

amicale association

anciens former employees

hosto hospital

gardes on-call duty

ceintures seatbelts

rend returns

menant leading

bricoler tinker around, do handiwork

s'être caressé le menton stroking his chin

hoche nods

antre cave

briscards veterans

décollage takeoff

riant comme des bossus roaring with laughter

atterrissant landing

carrelage tiling

Blériot airplane designed by Louis Blériot (1872–1936), a French inventor/engineer and the first person to fly a plane across the English Channel

fossé trench

fortifs fortifications

Morane another French aircraft

posé landed

récolta une contravention got a parking ticket

me heurtant à *here:* meeting with; *also:* coming up against

s'abîme plunges

Chacun son carburant To each his own fuel

Je pousse la porte de la maison. Tout est sombre. L'Orient-Express est vide. Papa n'est pas au salon. Il n'est pas non plus à l'étage. Je descends à la cave en priant **qu'il ne lui soit rien arrivé** et tout en me préparant à affronter la vue de son cadavre **affalé** au pied de l'**établi**. Personne à la cave. Je remonte quatre à quatre l'escalier. Un bruit de **chasse d'eau** me délivre d'un grand **poids**. Mon père sort des W-C en **se reboutonnant**. Nous nous **cognons** presque. Il paraît embarrassé, comme si je l'avais surpris en train de faire je ne sais quoi.

— Tu rentres bien tôt !

D'un geste réflexe, je **lui tends** la grande enveloppe sans un mot. Il l'ouvre et regarde attentivement les billets.

J'explique. Les places de concert, je les dois au fidèle Girardot qui **dirige** l'**amicale** des **anciens** de chez Pathé-Marconi. Les billets d'avion, je me suis arrangé avec l'**hosto**. On m'a consenti une avance sur mes prochaines **gardes**. Tout est en ordre de route, il n'y a qu'à nous rendre à l'aéroport, attacher nos **ceintures** et à nous l'Amérique !

Comme je le craignais, papa me **rend** l'enveloppe et s'engage dans l'escalier **menant** à la cave. Quand il n'est pas trop fatigué, il lui arrive encore de **bricoler**. Arrivé sur la troisième marche, il s'arrête et, après **s'être caressé le menton**, me demande :

— Quand partons-nous ?

— Dans une semaine, le 11.

Il **hoche** à nouveau la tête et disparaît dans les profondeurs de son **antre**.

C'est la première fois que nous prenons l'avion, mon père et moi. Derrière nous, deux vieux **briscards**, dans l'attente du **décollage**, échangent quelques souvenirs en **riant comme des bossus** : l'aviateur Gilbert **atterrissant** sur le toit d'une usine de **carrelage** rue Saint-Charles, la chute d'un **Blériot** dans le **fossé** des **fortifs** d'Issy et ce **Morane** qui s'était **posé** en catastrophe sur l'esplanade des Invalides où il **récolta une contravention**, la première du genre.

Je demande à mon père d'attacher sa ceinture, **me heurtant à** un *niet* catégorique. Si l'on prend feu ou si l'on **s'abîme** en mer, il préfère être libre de ses gestes. L'hôtesse nous offre un jus de fruits. Il sort de sous son veston une flasque de vodka. **Chacun son carburant.** Peu

se soulager to relieve himself

tuyau hose
larmes tears
arrimée fastened in
vrombissent are roaring
ouate cotton
me la tenir to hold it for me, *i.e.,* to hold my penis for me
par-dessus le marché to top it all off
me penche bend down
portefeuille wallet
contenu contents
au beau milieu smack in the middle
travée row
costard suit
souliers à guêtres shoes with gaiters
appuyé resting, leaning
chaussons dancing slippers

hausse shrugs
dévisse unscrews
fiole flask
avale swallows
rasade swig
hublot porthole
calvitie baldness
tapageuse flashy
cadre mal doesn't square well, is hard to reconcile
roi de la pègre king of the underworld
aiguilles needles
s'en bat l'aile could give a damn

avant le décollage, il a envie de pisser. Je lui demande de patienter un peu : quand nous aurons pris de l'altitude, il pourra **se soulager**. Mais non, c'est un besoin urgent, il ne peut plus tenir.

– Tu ne veux tout de même pas que ton père fasse dans sa culotte.

Je songe à Charlie Flag et à son ingénieux **tuyau**. J'essaie de le raisonner. Il me dit que ça fait trop mal. Ses yeux se sont emplis de **larmes**. Je fais signe à l'hôtesse, mais celle-ci est déjà **arrimée**. L'avion s'est mis à rouler. Les réacteurs **vrombissent**. Une violente poussée nous propulse dans les nuages. Nos oreilles s'emplissent d'**ouate**. Impression d'être au fond d'un aquarium, alors que nous volons. Papa grimace de douleur. Je l'aide à se lever et le dirige vers l'avant. Il me repousse avec violence.

– Tu ne veux pas **me la tenir par-dessus le marché !**

Je ne l'ai jamais vu dans cet état. Dans sa précipitation, il a fait tomber son veston. Je **me penche** pour le ramasser. Le **portefeuille** a vomi son **contenu au beau milieu** de la **travée**. Je remets tout en place. Quelle n'est pas ma surprise en découvrant une photo de Dimitri, en **costard** italien et **souliers à guêtres**, le dos **appuyé** contre une Cadillac. À ses côtés, une fillette de 7, 8 ans, en tutu et **chaussons** noirs, lui sourit.

Mon père revient s'asseoir. Il marche en s'appuyant sur les fauteuils à la manière d'un primate. Il n'a pas l'air bien. Je le laisse se réinstaller. Il veut fumer. Je m'efforce de l'en dissuader. C'est le médecin qui parle. Il **hausse** les épaules. Il **dévisse** le bouchon de sa **fiole** et en **avale** une bonne **rasade**. Il ne m'en propose pas. Il a tourné la tête contre le **hublot**.

Sur la photo, mon père porte une moustache à la Capone et n'a pas encore de **calvitie**, ce qui laisse supposer qu'il a entre 30 et 35 ans. Son élégance **tapageuse cadre mal** avec son côté sobre et strict. Je fais de rapides calculs. Cette photo a dû être prise deux ou trois ans après ma naissance. Qui est cette ballerine ? Que fait mon père appuyé contre une voiture de **roi de la pègre ?** Autant de questions qui me transpercent comme de fines **aiguilles**. Et puis pourquoi a-t-il accepté si rapidement ce voyage. Envie de revoir son vieux copain Face de Chou ? Ce jubilé à Carnegie Hall, il **s'en bat l'aile**, j'en suis sûr.

scintillements sparkling
scrutant searching for
vitre window pane
maculée smudged
saleté grime
bas-côté roadside
humant breathing in
Je n'ai qu'à I just have to
tendre prick up
Crimée Crimea
« Noire » Black One, *i.e.,* the Black Sea
s'effectue takes place
gronder rumble, roar
néant void, nothingness

pension boarding house
amène agreeable
craspec filthy
donne sur looks out on
féerie fairyland
c'est le cas de le dire I must say

m'en faire une idée imagine it
classeur folder
serrait filed
à juste titre rightly so
fiché monitored, kept on file
quelle tête ferait-il how would he have reacted
l'était aussi *in effect:* had also been monitored
suivi à la trace followed his trail
parcours journey

Un taxi jaune conduit par un chauffeur pakistanais nous mène au cœur de Manhattan. Je ne me laisse pas immédiatement hypnotiser par les **scintillements**, **scrutant** autre chose à travers la **vitre maculée** de **saleté**. Mon père, qui a compris, demande au chauffeur de se garer sur le **bas-côté**. Il me dit d'abaisser la vitre.

– Elle est là! assure-t-il en **humant** l'air marin.

– Tu en es sûr?

Il secoue la tête. **Je n'ai qu'à tendre** l'oreille. La mer, je ne l'ai jamais vue. Mon père, qui passait ses vacances d'été en **Crimée**, l'appelait la «**Noire**». Mon premier face-à-face avec l'océan **s'effectue** de nuit et, en écoutant **gronder** ce géant indistinct, je comprends mieux l'attirance de Mitia pour cette «Noire» qui fabrique de la musique à partir du **néant**. La mer, on ne la voit pas, on l'entend. À peine débarqué en Amérique, papa vient de me donner ma première leçon de musique.

Nous sommes descendus à l'hôtel Tzareva, dans la Petite-Ukraine. Une bâtisse tout en bois, à deux pas de Taras Sevchenko Place. C'est une ancienne **pension** russe tenue par une petite femme sèche et peu **amène**. Le cadre est vieillot et **craspec**. La fenêtre de la chambre **donne sur** un mur de briques en tout point semblable à la façade de notre première HLM rue Ribot. On s'imagine toute une **féerie**, et on tombe de haut, **c'est le cas de le dire**. Traverser l'Atlantique pour retrouver ce qu'on a laissé derrière soi. Quelle farce! Voilà bien tout le charme des voyages.

New York demeure une pure fantasmagorie. Je n'ai pu **m'en faire une idée** qu'à travers Céline et Kafka (lequel n'a jamais mis les pieds en Amérique) et les «revues de presse» de ma grand-mère. À sa mort, j'ai récupéré le grand **classeur** où elle **serrait** toutes les informations sur Horowitz. Lui qui s'imaginait (**à juste titre**) **fiché** par le KGB, **quelle tête ferait-il** en apprenant qu'il **l'était aussi** par la mère d'un ancien condisciple du Conservatoire, qui l'avait **suivi à la trace** depuis son départ d'Union soviétique en 1924.

Je connaissais maintenant son **parcours** sur le bout des doigts – son passage à l'Ouest six ans après papa, ses périodes berlinoise et

d'emblée right away

relations connections

épouse marries

mauvaises langues gossipmongers

beau-père father-in-law, *i.e.,* Toscanini

De quoi faire taire Enough to silence

débordé overwhelmed

par monts et par vaux traveling all around

épater le bourgeois to flabbergast/shake up the audience, a reference to the slogan of 19th-century French Decadent poets who sought to shock the bourgeoisie out of their complacency

tirer sur les cordes to get the most out of; *also:* a pun on the French word for piano strings (= *cordes*)

perdre les pédales losing his mind, becoming entangled or confused (*also:* a pun on the idea of piano "pedals")

grisé intoxicated

tirent la sonnette d'alarme sound the alarm

gagné la course won the race

C'est là que le bât blesse That's where the shoe pinches; There's the rub

numéro de voltigeur acrobatic act

bête animal

argent silver

se défaire get rid

patron boss

raffole is crazy about

lever du rideau curtain rising

files lines

trottoir sidewalk

verglacé icy

s'apprêtant à monter sur le ring getting ready to enter the [boxing] ring

remettre son titre en jeu defend one's title against a new challenger

fracassants sensational

jour pour jour to the day

gros gants *in effect:* boxing gloves (*literally:* big gloves)

ça va saigner there will be blood

tension blood pressure

londonienne avant son installation aux USA, où **d'emblée** il accède au rang de star planétaire grâce à ses **relations**, notamment sa rencontre avec Rachmaninov et son alliance avec Toscanini, dont il **épouse** la fille en décembre 1933, à Milan. Les **mauvaises langues** diront que c'est son **beau-père** qu'il a épousé. Sa fille unique Sonia naît le 1er octobre 1934, le jour même des 31 ans d'Horowitz. **De quoi faire taire** les rumeurs sur son homosexualité. C'est un époux et un père absents, **débordé**, toujours **par monts et par vaux**. Il veut **épater le bourgeois** et il en fait trop. À force de **tirer sur les cordes** de son Steinway, il risque de **perdre les pédales**. Emporté par son succès, sûr de son magnétisme, **grisé** par la vitesse avec laquelle il enchaîne les notes, il n'entend même plus les morceaux en même temps qu'il les joue. Ses amis, Rachmaninov en tête, **tirent la sonnette d'alarme** : «Vous avez **gagné la course** des octaves. Personne ne joue plus vite que vous. Mais je ne vous félicite pas parce que ce n'était pas musical!» **C'est là que le bât blesse.** Durant les trois dernières années, il a donné un récital tous les deux jours, attirant une foule de plus en plus nombreuse. De San Francisco à Chicago, de Seattle à la Nouvelle-Orléans, dans tous les États, on se presse pour assister à son grand **numéro de voltigeur**. Le public vient applaudir une **bête** de spectacle, et la bête souffre de ne pas être reconnue comme un musicien. Son jubilé d'**argent** lui offre l'occasion de **se défaire** de sa réputation d'acrobate pour accéder enfin au rang de plus grand pianiste de tous les temps. Demain soir, il entend bien montrer qui est le **patron**. Le public américain **raffole** de ce genre de challenge. À moins de vingt-quatre heures du **lever de rideau**, les **files** se sont formées sur le **trottoir verglacé** de Carnegie Hall transformé en temple du noble art.

Je lis à mon père la dernière interview d'Horowitz s'**apprêtant à monter sur le ring** et remettre son titre en jeu dix ans **jour pour jour** après ses débuts **fracassants** sur le sol new-yorkais. À l'entendre, on sent qu'il a mis les **gros gants** et que **ça va saigner** :

«Ma **tension** est celle d'un jeune homme de 20 ans. Je fais une promenade de 30 à 40 blocs par jour. Je me nourris exclusivement de fruits et de poisson frais – jamais de viande! – et je n'ai pas bu un verre d'alcool depuis au moins trente ans!»

dernière fois *i.e.,* the last time Horowitz drank alcohol

guet watch, lookout
grincer creak
dé à coudre thimble
bêtisier collection of nonsense
salades tall tales

Du jamais vu Never before seen
aube dawn
attire attracts, interests
biens personal property
Nathan Milstein Nathan Mironovich Milstein (1903–1992),
    Russian violinist who later became an American citizen
dans le cadre as part of
tournées tours
visant aimed
laborieuses working
granges barns
étables cowsheds
foire country fair
cerise sur le baba cherry on the cake
barbaque low-quality meat
dégoût distaste, loathing
bougres guys, fellows
embrigadés forced or coerced into attending
se maquille puts on makeup
se noircit les sourcils darkens his eyebrows
graisse d'oie goose fat
ouvriers workers
paysans farmers, peasants
se moquer make fun of
N'importe qui Any one of them
exauce les vœux grants the wishes

– La **dernière fois**, c'était avec moi !

Dimitri est toujours devant la fenêtre, le regard tourné vers les briques. Il abandonne son **guet** et vient s'asseoir sur le lit, qui se met à **grincer**.

– C'était pour fêter son diplôme. Il s'est enfilé du bout des lèvres un **dé à coudre** de vodka et il a été malade comme un chien.

Mon père jette un œil sceptique à l'album d'Anastasie. Un vrai **bêtisier**. Il me demande d'oublier les **salades** (russes) de ma grand-mère et de l'écouter. Exit le conte pour enfants. Voici sa version des faits.

– Il s'appelait Vladimir Gorowitz. À 17 ans, il triomphe au concours de sortie du Conservatoire. Il reçoit une *standing ovation* du public et du jury. **Du jamais vu.** Du jamais entendu surtout depuis Liszt et Paganini. Comme eux, il porte en lui le démon. Nous sommes à l'**aube** des années 1920. La composition l'**attire**, mais, les bolcheviks ayant confisqué les **biens** des juifs, il doit donner ses premiers concerts pour faire vivre sa famille. Avec sa sœur Regina et le violoniste **Nathan Milstein**, ils forment un trio qui se déplace partout en Ukraine **dans le cadre** des **tournées** promotionnelles **visant** à l'édification musicale des classes populaires et **laborieuses**. Tout un programme. On les a baptisés les « enfants de la Révolution soviétique ». Ils se produisent dans des **granges** ou des **étables** à l'acoustique déplorable, sur des pianos de **foire**. Le public a été enrôlé de force pour écouter les discours politiques qui viennent après le concert, comme la **cerise sur le baba**. Ils jouent pour du chocolat ou du salami, quelquefois pour un morceau de **barbaque**. C'est de ces années-là, tu comprends, qu'il a gardé le **dégoût** de la viande. Mais, même pour un bout de salami et devant un parterre de pauvres **bougres embrigadés**, il donne chaque soir le meilleur de lui-même. Il s'habille et **se maquille**, il **se noircit les sourcils**, il passe ses cheveux à la **graisse d'oie**. Il le fait par respect pour son public, pour montrer à ces **ouvriers**, à ces **paysans**, qu'il n'est pas là pour **se moquer** d'eux. **N'importe qui**, ne connaissant rien à la musique, en sortant d'un concert de Gorowitz pouvait se dire : « Lui, au moins, il nous écoute ! » C'est en cela que résidera plus tard le secret de sa réussite. Jouer pour Horowitz signifie recevoir. Il **exauce les vœux**

pareil the same thing

déplacer les foules bring in crowds

aile wing

Arthur Schnabel (1882–1951) Austrian classical pianist who left
  Berlin in 1933 and eventually settled in the United States

à la force du poignet through his own steadfastness

grimpais were climbing

Alpe-d'Huez mountain in the French Alps climbed by cyclists in
  the Tour de France

selle seat, saddle

est passé à côté de missed out on

voie path

dilapide squander

Félix Blumenfeld (1863–1931) Russian composer, conductor,
  and pianist who taught piano at the Conservatory of Kiev from
  1918 to 1922

piquait des colères monstres went into terrible fits of anger

désinvolture flippancy, cheek

trop à cœur too much to heart

lévrier greyhound

n'a que peu de rapport avec has little to do with

le perdre discrediting him, hurting his reputation, being the ruin
  of him

raté unsuccessful

à demi réussi only partially successful

hors de lui beside himself

crève de trouille is scared to death

décevoir disappointing

l'expédiera will ship him off

croupit rotted away

éclateront will shatter

gel frost

mines appearance

patachons steersmen, coach drivers (*and, by extension*: wanderers)

du public. Il veut plaire à tout prix. Ou plutôt il a peur de déplaire, ce qui n'est pas tout à fait **pareil**. Mais tu vas comprendre…

Donc il déroule les concerts et son aura est telle qu'il n'a plus besoin pour **déplacer les foules** de l'aide des agents recruteurs. C'est vraiment lui qu'on vient applaudir. En 1924, il se place sous l'**aile d'Arthur Schnabel**, qui organise son passage à l'Ouest. La suite, tu la connais, Berlin, Londres, les premières tournées européennes, et puis New York, la rencontre de Rachmaninov et de Toscanini, l'accession à la notoriété **à la force du poignet**, le cercle vicieux du succès. Car il faut savoir à quoi cela ressemble, une vie de concertiste. C'est comme si tu **grimpais** l'**Alpe-d'Huez** tous les jours et sans ta **selle**. Il l'a fait et je crois qu'il **est passé à côté de** l'essentiel. J'ai choisi une autre **voie**.

Au Conservatoire, nos professeurs ne comprenaient pas que je **dilapide** mon talent. **Félix Blumenfeld**, qui avait été l'élève d'Anton Rubinstein, **piquait des colères monstres**, me reprochant ma **désinvolture**. Il me semble que j'avais peur de ce qui m'attendait si je prenais la chose **trop à cœur**. Je crois même que, si je me suis engagé dans l'armée de Denikine, c'est pour échapper au piano. Naturellement, ta grand-mère n'en a jamais rien su. De son côté, Horowitz jouait des octaves plus vite que tout le monde. Il allait devenir une sorte de génial **lévrier** que l'on ferait courir aux quatre coins du continent nord-américain. À ce moment, il sait très bien que ce qu'on lui demande chaque soir **n'a que peu de rapport avec** la musique, que c'est du cirque, un numéro de Barnum qui va finir par **le perdre**. Déjà certains critiques lui reprochent d'avoir vendu son âme au diable pour satisfaire un public uniquement avide de pyrotechnie sonore. Mais a-t-il vraiment le choix? Un concert **raté** ou **à demi réussi** le met **hors de lui**. Il se prend la tête entre les mains. Il **crève de trouille** à la seule pensée de **décevoir** l'Amérique. On va le renvoyer d'où il vient et il va devoir rejouer pour du salami et, s'il refuse, on l'**expédiera** en Sibérie comme son père qui **croupit** dans un goulag, et ses doigts **éclateront** sous l'effet du **gel**. Malgré sa gloire et son argent, il n'est pas heureux. Moi, j'ai choisi de vivre dans le silence, ce silence qui est au cœur de la musique, et je ne regrette rien.

Le matin du concert, nous sortons faire un tour dans la Petite-Ukraine. On a l'air de deux *homeless*, avec nos **mines** de **patachons**, nos

broussailleux stubbled

décalage horaire jet lag

flottement unsteady feeling

neigeote is snowing lightly

Bardamu Ferdinand Bardamu, protagonist of Céline's *Journey to the End of the Night*

flasques limp, flaccid

ballottées tossed about

aérien elevated

Chantons sous la pluie *Singin' in the Rain*

vantant praising the merits of

électroménager home appliances

tapissent cover

mouton blanc white sheep (another reference to *Mary Had a Little Lamb*)

n'ose don't dare

dévoiler to divulge

me ramasser une calotte getting myself slapped

chambardement upheaval

raccroché son tablier hung up his apron

mou soft

caoutchouteux rubbery

à tout crin boundless, excessive

n'aime que only like

flocons snowflakes

péniches barges

gelait was freezing cold

patiner skate

On aurait dit You would have thought [it was]

Dniepr river flowing through Russia, Belarus, and Ukraine

s'en payer du bon temps have ourselves a good time

laveries laundromats

gratte-ciel skyscrapers

funambule tightrope walker

clavier keyboard

aveu confession, admission

mentons **broussailleux**. Le **décalage horaire** accentue le **flottement**.
Il **neigeote** sur New York. Je songe à **Bardamu** égaré dans la jungle
verticale, parmi les viandes **flasques**, **ballottées** d'une artère à une
autre dans le tremblement du métro **aérien**. Papa a la tête ailleurs. Il
semble ne pas réaliser qu'il est au pays de Peter Pan et de Buffalo Bill.
J'essaie de lui communiquer mon enthousiasme juvénile.

En ce début des *fifties*, Cyd Charisse triomphe aux côtés de
Gene Kelly dans *Chantons sous la pluie*. Ses longues jambes
couleur miel me rappellent mes tennis-women du Vésinet! Les
affiches **vantant** l'**électroménager tapissent** les cavernes du métro.
L'industrie du disque est en plein boum. Les premiers juke-boxes
ont fait leur apparition, annonçant le règne de l'automatisme. Le
monde a drôlement évolué depuis Thomas Edison et son **mouton
blanc**. Je **n'ose dévoiler** ma fascination pour Frank Sinatra et pour
Charlie Parker, craignant de **me ramasser une calotte**, comme
quand je sifflotais des chansons réalistes. Mon père semble ne pas être
concerné par ce grand **chambardement**. Il jette sur ce meilleur des
mondes technologiques le regard de quelqu'un qui a déjà **raccroché
son tablier**. Tout ce progrès le laisse indifférent. Le pain industriel,
mou et **caoutchouteux**, qui a le goût de rien, traduit à lui seul
l'insipidité et l'artifice de ce Nouveau Monde résolument tourné vers
la consommation **à tout crin**. Mon père, comme Horowitz, est un
homme du passé.

– Je **n'aime que** la banlieue parisienne, me confie-t-il. L'automne
à Croissy. La terrasse de Saint-Germain-en-Laye au printemps.
L'hiver, les **flocons** tombant sur les **péniches**. Une fois, tiens, il **gelait**
si fort que les gosses pouvaient **patiner** sur la Seine, entre Bougival et
Le Pecq. **On aurait dit** le **Dniepr**. Ta mère aussi aimait la banlieue
ouest. Ce qu'on a pu **s'en payer du bon temps**.

Il a pris mon bras et nous formons un couple étrange dérivant le
long des *pancake houses*, des **laveries** automatiques, des vitrines d'art
nègre, des drugstores et des **gratte-ciel**.

Je ne cesse de réfléchir à sa confession nocturne. Avant de rencontrer
ma mère, Dimitri était un superbe **funambule** du **clavier**, capable
des prouesses les plus vertigineuses, mais qui, de son **aveu** même, ne

anonymat anonymity
dedans inside
renommée fame
tromperie sur la marchandise false advertising
n'a rien à voir has nothing to do with

hanté haunted

emmitouflés bundled up
déambulent stroll about
bosquets poudrés snow-powdered thickets
Von Ostade Adriaen van Ostade (1610–1685), Dutch painter
hôtel particulier townhouse
obturées blocked off
tentures drapes
manies manias, obsessions, quirks
au fil des ans as the years went by
dinguerie madness, insanity
asperges asparagus
Douvres Dover
métier trade, craft
Il ne s'agit pas It was not a matter of
transfuge defector
atteint afflicted
frousse fear
camp gulag; Soviet forced labor camp
moue grimace
pète fart, pass gas
hébétude stupefaction

comprenait pas grand-chose à la musique. C'est lorsqu'il s'est remis à jouer pour Violette, pour moi, à Chatou, dans l'**anonymat** le plus complet, qu'il a commencé à ressentir des choses. Il ne cherchait plus la performance. Il jouait de l'intérieur. Du **dedans**.

Où se situe Horowitz? Dedans? Dehors? À quoi tient sa **renommée**? N'y a-t-il pas **tromperie sur la marchandise**? Est-ce un usurpateur? Le talent **n'a rien à voir** avec le succès. Est-ce cela qu'a voulu me dire mon père? Je sens une oppression m'envahir à mesure que nous nous rapprochons du moment de vérité. Qu'est-ce que j'attends au juste de cette confrontation avec le mythe qui a **hanté** mon enfance?

Tout à l'heure, nous avons fait un tour vers la Hudson River pour acheter des sandwichs et de la bière. Nous allons pique-niquer dans Central Park parmi les promeneurs **emmitouflés** qui **déambulent** entre les **bosquets poudrés**. On se croirait dans une scène d'hiver de **Von Ostade**, le peintre préféré de Nicolas II. Nous nous asseyons sur un banc, au pied de la statue de Hans Christian Andersen. Horowitz habite, tout près d'ici, un **hôtel particulier** aux fenêtres **obturées** par de lourdes **tentures** noires. Papa connaît par cœur les **manies** du maestro. Sa terrible paranoïa et sa légendaire hypocondrie se sont amplifiées **au fil des ans** jusqu'à la **dinguerie**. S'il n'a pas son eau minérale, ses **asperges**, ses soles envoyées spécialement de **Douvres**, son massage abdominal quotidien, alors rien ne va plus et il est incapable de bien faire son **métier**. **Il ne s'agit pas** de caprices de prima donna, mais d'une anxiété fondamentale, en rapport avec sa situation de **transfuge**. Depuis l'âge de 25 ans, il est persuadé qu'il est **atteint** d'un mal incurable, mais sa seule maladie est la **frousse** de perdre sa virtuosité et d'être envoyé dans un **camp**, comme son père et des millions d'autres juifs. Avant chaque concert, il fait garder son Steinway par deux marines, si grande est sa terreur des sabotages.

Tout en parlant, Dimitri regarde son sandwich au thon avec une **moue** nauséeuse. Quatre heures sonnent quelque part.

– C'est l'heure de sa promenade, dit-il. Il faut qu'il **pète**!

Je le regarde avec **hébétude**.

trac   stage fright

ballonnements   gas, bloating

se produire   appearing

s'alléger   relieve himself

sous peine   or else risk

bretelles   suspenders

pression   pressure

lâché   snapped

pompier   fireman

prête   lend

ébloui   dazzled

exégète   scholar, specialist

figés   frozen

givre   frost

scrute   scrutinize

chimérique   fanciful, illusory

baudruche   inflated balloon

Wanda   Wanda Toscanini, Horowitz's wife

me marre   laugh

a fortiori   all the more

vous attend au tournant   is waiting to trip you up

épreuve épouvantable   dreadful/horrifying ordeal

internat   medical internship

verts de trouille   green (sick to their stomachs) with fear

seau   bucket

banc   bench

paravent   screen, partition

partagé   torn, divided

sangloter   sob, weep

Plié en deux   Doubled up

asperge   is sprinkling

sang   blood

taulière   hotel manager

comme si de rien n'était   as if nothing had happened

le pourquoi de ces messes basses   the reason for the hushed
   conversations

– De qui parles-tu ?

– De qui veux-tu ? Le **trac** lui communique des **ballonnements** et, deux heures avant de **se produire** sur scène, il doit **s'alléger sous peine** d'exploser. Un jour, ses **bretelles** (sous la **pression** des gaz) ont **lâché** juste au moment de jouer. Il a fallu qu'un **pompier** de service lui **prête** les siennes en catastrophe. Horowitz a joué merveilleusement et, à la fin, le pompier, complètement **ébloui**, lui a dit de garder ses élastiques, car ils lui donnaient des ailes.

D'où Dimitri tient-il toutes ces choses ?

– Ta grand-mère n'était pas la seule **exégète** en la matière ! Moi, je connais l'animal comme si je l'avais fait.

Mon père grimace sous l'effet d'un nouveau spasme. Il me tend son sandwich, dans lequel il n'a pas mordu, et se dirige précipitamment vers un bouquet de rhododendrons **figés** dans le **givre**. Il va falloir nous pencher sérieusement sur ce problème de prostate. Je **scrute** les allées dans l'espoir **chimérique** de voir apparaître la **baudruche** Horowitz au bras de Wanda. Je **me marre** tout seul en pensant à cette histoire de fuite de gaz et de pompier providentiel. Plus sérieusement, je prends conscience que monter sur scène, **a fortiori** lorsqu'on **vous attend au tournant**, doit être une **épreuve épouvantable**. Je me revois attendant de passer mon premier oral d'**internat** avec cinq autres candidats, **verts de trouille**, assis en cercle autour d'un **seau** hygiénique. Je tourne la tête. Papa a disparu derrière le massif de rhodos. Je quitte le **banc** et contourne le **paravent** végétal, **partagé** entre rire et malaise. Papa est toujours occupé à « **faire sangloter** le Cyclope ». **Plié en deux** par la douleur, il **asperge** la neige de son **sang**.

Nous regagnons l'hôtel en métro. Sans un mot.

– Monsieur Radzanov, il y a un message pour vous.

Mon père s'approche de la réception. La **taulière** lui tend un mystérieux billet. Ils discutent tous les deux. Mon père me rejoint **comme si de rien n'était**. Dans l'ascenseur, je lui demande **le pourquoi de ces messes basses**.

– Tu connais quelqu'un à New York ?

haut-le-corps sudden start

s'explique have it out
par quel bout from which angle
l'affronter to confront him
dans les cordes against the ropes

peins les feuillages en rouge paint the leaves red, *i.e.,* urinate
blood

santé health
n'a aucun rapport has nothing to do with it

à mon corps défendant reluctantly

interviens intervene
t'interposes interfere
interloqué nonplussed
ne fait pas semblant isn't pretending

relief dimension

revenir sur to take back
allongé stretched out
repliées bent
douloureuse painful

Il a un **haut-le-corps**, étonné que je puisse lui poser une question pareille.

– À part Horowitz, personne !

Se peut-il qu'il se soit mis en contact avec son ami ? Après tout, cela n'aurait rien d'étonnant.

Il va maintenant falloir qu'on **s'explique** tous les deux. Je ne sais pas **par quel bout** le prendre. Je n'ai jamais su **l'affronter** en face. J'attends que nous soyons dans la chambre pour le pousser **dans les cordes**.

– Papa, ça fait combien de temps ?

– Pardon ?

– Que tu **peins les feuillages en rouge** ?

– Ne t'inquiète pas de ça.

– Tu me pousses à devenir médecin et je n'ai pas le droit de me préoccuper de ta **santé** ?

– Cela **n'a aucun rapport**.

Ce que j'ai sur le cœur depuis des années finit par sortir presque **à mon corps défendant**.

– Tu es comme ta mère.

– Je ne comprends pas.

– C'est pourtant clair.

– Va jusqu'au bout de ta pensée.

– Mon problème, c'est que je n'ai pas appris à penser jusqu'au bout. Il y a toujours un moment où tu **interviens**, où tu **t'interposes**.

Mon père est **interloqué**. Et le pire, c'est qu'il **ne fait pas semblant** de l'être. Il ne s'imaginait vraiment pas que je puisse penser tout ça. Encore moins l'exprimer.

Il sort une cigarette de son paquet. Je regarde ma montre. Nous n'avons plus beaucoup de temps devant nous. Formule banale qui, dans le contexte, prend un **relief** dramatique. Je sors nos deux costumes de la valise. Mon père fume, le visage tourné vers les briques. Je souhaiterais **revenir sur** mes paroles désastreuses, faire la paix. Il s'est **allongé** sur le lit, les jambes légèrement **repliées**, cherchant la position la moins **douloureuse**.

– Tu ne veux pas venir ?

ton Dieu your God, *i.e.,* Horowitz
à bout worn out, at the end of his rope
adoucir le calvaire alleviate the suffering
passé put on
Fous-moi le camp Get the hell out of here
places tickets
fesse buttock
extrait takes out
arrière rear
tend hands over
fouiller rummage
embarrassé *here:* confused

éclairer ma lanterne to enlighten me/shed some light on the subject
Emmuré Walled up

pour rien au monde for anything in the world
n'aurait voulu que je le rate wouldn't have wanted me to miss it
ne collait plus no longer matched
s'évertuait did her utmost
muleta bullfighter's red cape
en aie le cœur net clear the matter up, get to the bottom of things

réussite success
casser la baraque bring the house down
failli almost
annulé canceled
requis requested
cloué au lit stuck in bed
grippe flu
au pied levé off the cuff
mieux valu been better
coup du sort accident of fate
gosse kid

– C'est **ton Dieu**, pas le mien. Mais je tolère toutes les religions.

Pauvre papa. Il est **à bout**. Il faudrait appeler un taxi, nous rendre à l'hôpital le plus proche, lui faire une injection de morphine pour au moins **adoucir le calvaire**.

J'ai **passé** mon costume et je reste planté là comme un pingouin.

– L'heure tourne ! me dit-il. **Fous-moi le camp** !

– Les **places**… C'est toi qui les as.

Mon père soulève une **fesse** et **extrait** son vieux portefeuille de sa poche **arrière**. Il en tire les billets, me les **tend**.

– Merci.

Il continue à **fouiller**, l'air **embarrassé**.

– C'est ça que tu cherches ?

Je lui montre la photo avec la ballerine.

– Elle était tombée de ta veste.

J'attends encore un moment, pensant qu'il va **éclairer ma lanterne**. Peine perdue. **Emmuré** dans sa douleur et son mystère, il s'est tourné vers les briques.

Rien au monde n'aurait pu me faire renoncer à ce concert. Et **pour rien au monde** mon père **n'aurait voulu que je le rate**. Ses récentes révélations sur Face de Chou m'avaient mis le doute : ça **ne collait plus** trop au portrait qu'en faisait ma grand-mère à l'époque où elle **s'évertuait** à exciter papa en se servant de la gloire d'Horowitz comme d'une **muleta**. Il fallait que j'**en aie le cœur net**, et la révélation ne pouvait avoir lieu qu'à Carnegie Hall, ce temple néo-Renaissance de la **réussite** musicale, à l'acoustique incomparable, en présence d'un Horowitz non pas malade ou diminué, mais prêt, de son aveu même, à **casser la baraque**.

Aussitôt arrivé, j'apprends par des bruissements, des murmures, que le concert a **failli** être **annulé**. Dimitri Mitropoulos, le chef d'orchestre initialement **requis**, étant **cloué au lit** par la **grippe**, George Szell l'a remplacé **au pied levé**. En entrant dans la salle, je me demande si c'est une bonne chose. Il aurait peut-être **mieux valu** qu'un **coup du sort** m'empêche de confronter mes rêves de **gosse** à la réalité.

Le rideau est levé, et le Steinway, seul au centre de la scène, me

rang row
jumelles binoculars
lustres chandeliers
parterre orchestra seats
s'emplir fill up
mécène patron
acier steel
pupitre music stand
s'abat comes down
trou hole
débiles feeble
en aurait plein les pattes was fed up, had had enough
rieurs laughing
inquiets anxious, worried
passés lined
gominés slicked down
ramenés en arrière combed back
découvrent reveal
haubané hoisted up
ralingues rigging
courbette bow
raide stiff
rajustant straightening
nœud papillon bow tie
queue-de-pie tails
à la fois at the same time
faisant baisser lowering
île island
Robinson Robinson Crusoe
poignet wrist
à plat flat
relevé raised
pulpe pad of the finger
lestée weighted
d'étincelles sparkling
feux d'artifice fireworks
Volodia Vladimir

fait l'effet d'une chaise électrique. Le père Girardot a bien fait les choses. Je suis au dix-septième **rang**, sur la gauche. Point besoin de **jumelles** pour suivre l'exécution. À mes côtés, un fauteuil vide. Une ombre va l'occuper tout au long de la soirée – le fantôme de Carnegie Hall qui attend que son vieux rival nous montre ce qu'il sait faire.

Sous les **lustres** de Baccarat, le **parterre** et les balcons de bronze n'en finissent pas de **s'emplir**, comme lors de la soirée inaugurale, en 1891, qui avait rassemblé les Vanderbilt, les Astor, les Gould, les Belmont, toutes ces grandes familles venues applaudir Tchaïkovski en présence de l'architecte Richard Morris Hunt et du **mécène**, le roi de l'**acier** Andrew Carnegie.

George Szell présente l'orchestre et salue le public. Il se met au **pupitre** cependant qu'un silence impressionnant **s'abat** sur le Saint des Saints. Tous les regards convergent maintenant vers ce **trou** noir au fond de la scène d'où Face de Chou finit par sortir à petits pas **débiles**, tel un vieux lévrier qui **en aurait plein les pattes**. Papa n'avait pas menti, ses yeux **rieurs** et **inquiets** sont **passés** au mascara, ses cheveux rares et **gominés**, **ramenés en arrière**, **découvrent** des oreilles de Mickey. Il est plus grand que sur les photos, les mains par contre me paraissent petites, il est très maigre et flotte dans son smoking **haubané**, j'imagine, par les **ralingues** du pompier. Au tonnerre d'applaudissements, il répond par une **courbette** un peu **raide** en **rajustant** son **nœud papillon**. Puis il soulève sa **queue-de-pie** et s'installe devant son clavier. Je suis **à la fois** dans la salle et dans la cabine de projection, **faisant baisser** progressivement la lumière autour du maestro – le piano est une **île** – et Horowitz, à cet instant précis, est aussi seul que **Robinson**.

Voilà. C'est parti. Et, bien sûr, la première chose que je remarque – il ne pouvait en être autrement – c'est le *stance* d'Horowitz. Sa technique, contraire à tout ce qu'on enseigne dans les académies, est exactement la même que celle de mon père. Le **poignet** plus bas que le clavier, les doigts **à plat** et le cinquième **relevé**. Le doigt tout entier, pas seulement la **pulpe**, est en contact avec l'ivoire. Chaque note étant **lestée** d'un poids égal, le legato en sort optimisé. Cette position favorise la brillance du jeu, les effets **d'étincelles** et les **feux d'artifice**. Je découvre aussi que **Volodia** (comme Dimitri) utilise très peu la pédale de droite, celle

gomme erases
fausses bad, out of tune
accroc hitch, snag
à fond thoroughly
touche key
doucement gently
son sound
constater noticing
montant rising, increasing
en chair et en os in the flesh
si bémol B flat

à l'état brut in its raw form
s'ébaudira will gush
conquis conquered, won over

Debout Standing up

Chapeau Hats off!

retombée *here:* subsided
me noue les viscères has my stomach in knots
m'en veux blame myself
gardes-malades nurse
dérisoire ridiculous
dévore la vessie is eating away at his bladder

vis-à-vis the person opposite him
Il règne There reigns
insolite strange
équipage crew
du menton with his chin

qui **gomme** les **fausses** notes. Il joue avec le feu, car le moindre **accroc** prend un relief énorme. Par contre, il appuie **à fond** sur la pédale de gauche et, au lieu de relever le doigt avant de frapper à nouveau une **touche**, il continue, très **doucement**, à maintenir la pression sur la note d'avant, créant un **son** proprement magique. Cette technique m'est si familière que je n'ai pas de réelle surprise, si ce n'est celle de **constater** à quel point la similitude est grande. Je me demande qui a copié qui et puis, le concerto **montant** en puissance, je réalise que là n'est pas la question. Aujourd'hui Horowitz est devant moi – **en chair et en os** – et je n'entends que mon père à Chatou jouant ce même *Concerto n° 1 en si bémol* majeur de Tchaïkovski, en même temps que les 78-tours. Ma grand-mère avait raison. Plus aucun doute n'est permis. À présent, j'ai cessé d'avoir peur. JE SAIS qui est le meilleur.

Tout à l'heure, le public se lèvera et fera un triomphe mérité au grand, au merveilleux Horowitz. «Exécution gigantesque, d'une beauté **à l'état brut**, à la fois audacieuse et irrésistible», **s'ebaudira** un critique **conquis**. Une *standing ovation* qui durera dix, quinze, vingt minutes rendra hommage à un pianiste incomparable ayant vaincu ses démons pour revenir en pleine lumière. Applaudissez-le, mesdames et messieurs, cet homme-là, en effet, force le respect. **Debout** moi aussi, je me tournerai vers le fauteuil vide et je frapperai dans mes mains lentement, avec émotion, en pensant : « **Chapeau**, petit père ! »

Il doit être une heure du matin quand je regagne notre hôtel. L'excitation est **retombée** et l'angoisse **me noue les viscères**. Dans quel état vais-je retrouver papa ? Je **m'en veux** de l'avoir laissé malgré son refus obstiné de me voir jouer les **gardes-malades**. Ce concert me semble maintenant bien **dérisoire** en comparaison du crabe qui lui **dévore la vessie**.

Le Tzareva est éclairé. Deux silhouettes assises se font face dans la salle où l'on sert les petits déjeuners. Je reconnais aussitôt mon père. Son **vis-à-vis** me tourne le dos, mais sa voix de basse profonde ne m'est pas inconnue… **Il règne** en ces lieux une atmosphère aussi électrique qu'à Carnegie Hall. Je m'approche, intrigué, fasciné par cet **insolite équipage**. Papa me voit et, **du menton**, me fait signe

me fige freeze
Voilà belle lurette It has been ages
revenants ghosts
bol fumant steaming bowl [of soup]
hoche la tête nod my head
mine look
accoutrement get-up, clothes
accoutrementtaillée trimmed
gras oily
répandent shed
pellicules dandruff
témoin râpé threadbare witness

tatoué tattooed

gravissime solemn
entame begins
récit account, narrative
trucage special effects, camera tricks
s'empresse hasten

se hisser to hoist himself up
rafiot tub, old boat
rescapés survivors, escapees
affluent flock
réfugiés refugees

d'approcher. L'étranger tourne la tête dans ma direction. Je **me fige**, en état de choc. **Voilà belle lurette** que je ne crois plus aux histoires de **revenants**. Or, celui qui me sourit, devant son **bol fumant**, en est un et un beau.

– Tu te souviens de M. Sternberg! me dit papa.

Je **hoche la tête** sans pouvoir prononcer le moindre son. Je m'assieds à leur table et refuse la soupe à l'oignon qui m'est proposée. Sternberg a dû passer par tous les cercles de l'enfer à en juger par sa **mine** et son **accoutrement**. Sa barbe, à présent blanche, n'est plus **taillée** au millimètre, mais part dans tous les sens, ses cheveux longs et **gras répandent** des **pellicules** sur les épaules de son vieux manteau, **témoin râpé** de bien des vicissitudes. Il n'a pas besoin de me raconter sa vie après les camps de la mort. Le numéro qu'il porte **tatoué** sur le poignet parle de lui-même. Comment mon père et lui se sont-ils retrouvés cette nuit d'hiver à New York, c'est ce que je ne vais pas tarder à apprendre.

– Nous en étions restés à ceci, je crois, dit mon père en plaçant la photo sur la table. Tu te poses beaucoup de questions, j'imagine, et M. Sternberg est là pour y répondre. Je te prierai de bien l'écouter, car ce n'est pas une histoire simple.

De sa voix **gravissime**, Sternberg **entame** son **récit**. L'homme de la photo que j'ai confondu avec mon père est en réalité mon oncle Fédor avec… Sonia, la fille de Vladimir Horowitz et de Wanda Toscanini. Cette photo – réalisée sans **trucage**, comme on **s'empresse** de me le préciser – a été prise à New York en 1940, devant l'hôtel particulier du célèbre pianiste.

– Je pensais que Fédor était mort du typhus en 1924?

– Moi aussi! dit mon père.

– Nous le pensions tous, dit Sternberg. Sa femme seulement a succombé à l'épidémie. Ton oncle, lui, a réussi à **se hisser** à bord d'un **rafiot** avec quelques **rescapés** de la Garde blanche. Après avoir bien tourné en rond, il débarque à Istanbul, où **affluent** des **réfugiés** en provenance de toute l'Europe. À ce moment, Fédor est persuadé que ses parents et son frère ne sont plus de ce monde. Des témoins ont vu brûler l'immeuble administratif où vivait la famille Radzanov. Un

s'est fait hacher menu got himself blown to pieces
tir de mortier mortar fire
Orphelin Orphaned
couvent convent
boulots jobs
cuistot cook
cantine mess hall
truchement intervention
haut gradé high-ranking service member
démarches procedures
douanières customs
épuisantes exhausting
effrayé alarmed
Guépéou State Political Directorate; Soviet secret police
se fait éconduire gets turned away, shown out
taupe spy
lâche coward
repères bearings
fléchir be swayed
jurer swear
anéantie wiped out

papillonne flutters, flits

pègre underworld

l'art des entrechats *i.e.,* dancing

adulé fawned upon

accordeur tuner

anges angels

jeune soldat ayant servi dans le même escadron que Mitia assure que celui-ci **s'est fait hacher menu** par un **tir de mortier**. **Orphelin**, sans ressource, blessé à la jambe, Fédor est soigné dans un ancien **couvent** transformé en hôpital, puis, durant des mois, il végète à Istanbul en faisant des petits **boulots**, notamment **cuistot** dans une **cantine** de l'armée américaine. Par le **truchement** d'un **haut gradé** et au prix de **démarches douanières épuisantes**, il parvient à obtenir un visa pour les États-Unis.

Il débarque à New York le 6 septembre 1929. La seule personne qu'il connaît dans cette jungle de verre et d'asphalte est Vladimir Horowitz, récemment passé à l'Ouest lui aussi et qui donne ses premiers concerts dans la patrie de l'oncle Sam. Fédor décide d'aller le trouver. L'autre est d'abord **effrayé** par cette lointaine relation. Ne s'agit-il pas d'un agent de la **Guépéou** chargé de l'infiltrer ? Fédor **se fait éconduire**, mais revient à l'assaut de la forteresse. Il prouve à Face de Chou qu'il n'est ni un traître ni une **taupe**, encore moins un **lâche**. Il a perdu tous ses **repères** et n'a plus qu'Horowitz au monde. Ce discours semble sincère. Le maestro se laisse **fléchir**. Fédor est bel homme. Horowitz le prend à l'essai comme secrétaire en lui faisant **jurer** silence radio total avec le Vieux Monde. Fédor l'assure de sa discrétion. À qui se confierait-il ? Sa famille a été **anéantie**. Tout ce qu'il souhaite, c'est un job et se remettre à danser, car c'était sa passion à Kiev. Horowitz va lui permettre tout ça.

En 1934, Fédor obtient la nationalité américaine et **papillonne** dans les night-clubs, où je l'imagine dansant le fox-trot et le charleston avec la grâce de Nijinski. Il fréquente un peu la **pègre**, en tous les cas il en adopte les manières. N'ayant pas d'enfant, il se prend d'affection pour Sonia, la fille du maestro, à qui, très tôt, il enseigne **l'art des entrechats**. Les années passent et le danseur-secrétaire suit le pianiste **adulé** dans ses moindres déplacements. Il a trouvé sa place au sein de la caravane Horowitz, entre l'**accordeur**, le diététicien, le masseur et le garde du corps, sans lesquels le dieu du piano est un homme perdu.

Nous sommes en 1939 et le maestro s'installe définitivement à New York. D'une manière pour le moins fabuleuse, Fédor retrouve la trace de sa mère et de son frère, qu'il croyait depuis longtemps « parmi les **anges** ». En effet, encouragée par ses amis de Menton, Anastasie a

rappel reminder
entre dans le vif du sujet gets to the heart of the matter
« épaulé » assisted
chance fortune
coup de pouce helping hand, boost
suffirait would suffice
lancer launch [in a career]
courrier mail
aussitôt right away
préciser stating
traversée journey, crossing
crier sur les toits cry from the rooftops
ouistiti monkey
de pied ferme unwaveringly
outre-Atlantique across the Atlantic
se méritait was deserved

renommée fame
grandissante growing

rompre l'omerta breaking the code of silence
mandats money orders
blackboulés blackballed
au compte-gouttes in dribs and drabs
l'engranger store it, save it
revanche revenge
assister à witness

grâce aux subsides thanks to the allowance

bienfaiteurs benefactors

écrit une longue lettre à Horowitz, comme on jette une bouteille à la mer. Après un rapide **rappel** des années de Conservatoire et de leurs vacances à Vevey, elle **entre dans le vif du sujet** et lui parle de son fils chéri, pianiste de talent lui aussi, qui aurait besoin d'être un peu « **épaulé** » par la **chance**. Elle demande à Horowitz d'être ce **coup de pouce** du destin en accordant une audition à Mitia – cela **suffirait**, selon elle, à le **lancer**.

Fédor intercepte ce **courrier** et répond aussitôt à sa mère, sans toutefois **préciser** son identité, conformément à la promesse faite à son employeur. Il lui explique qu'il est le secrétaire d'Horowitz et qu'ils ont bien reçu sa prière. Le mieux serait que Mitia et elle viennent à New York pour passer cette audition. Il lui envoie l'argent de la **traversée**. Anastasie meurt d'envie de **crier sur les toits** qu'elle a renoué contact avec le petit **ouistiti** (surnom délivré cette fois avec tendresse) et que ce dernier les attend **de pied ferme outre-Atlantique**. Or, elle a réfléchi qu'une telle rencontre **se méritait**. Dimitri risque de se ridiculiser s'il ne reprend pas sérieusement le piano. Elle va l'encourager à jouer pour retrouver le niveau qui était le sien avant la Révolution. Et, pour le stimuler, elle s'arrange pour qu'il soit informé régulièrement de l'insolente réussite de son petit camarade à la **renommée grandissante**. Elle demande au secrétaire de lui envoyer des articles, des photos illustrant l'ascension de celui que les Anglo-Saxons ont baptisé « l'Ouragan des Steppes! ». Fédor lui envoie tout ce qu'elle demande, prenant lui-même des photos du maestro au risque de **rompre l'omerta**. À chaque envoi, il joint un peu d'argent – ce qu'il nomme des **mandats** solidarité. Entre compatriotes **blackboulés**, on se doit bien ça. Tout l'argent reçu d'Amérique, Anastasie le délivre **au compte-gouttes** à son petit-fils en lui faisant jurer de **l'engranger** à toutes fins utiles. À cette époque, elle espère encore pouvoir prendre sa **revanche** sur le destin. Quand Mitia sera au point, ils iront tous à New York pour **assister à** son triomphe.

Tandis que Sternberg poursuit son récit, je comprends que le Érard demi-queue a pu être acquis **grâce aux subsides** de mon oncle, lequel aura contribué à relancer la carrière pianistique de son frère en jouant les **bienfaiteurs** de l'ombre.

coupée cut
ignore don't know
se soit fait jeter got himself thrown out
manège game
se livrait was engaged
clichés photographs, negatives
Fricotait-il Was he involved with/cooking something up with
à l'affût on the lookout
chantage blackmail

accueilli welcomed
Parmi Among

Débarquement Invasion of Normandy
jour J D-Day, June 6, 1944
pointe du Hoc clifftop site on the Norman coast between Utah
Beach and Omaha Beach; point of attack during the Invasion of
Normandy

divagations ravings, ramblings

belle-sœur sister-in-law, *i.e.,* Fédor's widow
de surcroît moreover

désormais since then

Or, soudain, alors que l'horizon s'éclaircissait, plus de courrier. La ligne directe reliant Chatou à l'hôtel particulier de la 94e Rue est brutalement **coupée**. Fédor a perdu son emploi. On **ignore** la raison exacte, mais il est bien possible qu'il **se soit fait jeter** par son patron après la découverte par celui-ci du **manège** auquel on **se livrait** dans son dos. Pourquoi Fédor a-t-il rompu leur pacte ? Sa passion des femmes lui coûtait fort cher et il était prêt à tout pour la satisfaire. A-t-il vendu certains **clichés** aux premiers tabloïds ? **Fricotait-il** avec le syndicat du crime, toujours **à l'affût** d'un mauvais coup, **chantage** ou racket ? Nous sommes en 1941 et, pour la seconde fois, on perd complètement la trace de mon oncle.

En 1945, Sternberg débarque à son tour aux USA avec les quelques centaines de rescapés de la Shoah. Il est **accueilli** par un groupe de bénévoles chargés de l'aide aux réfugiés. **Parmi** ceux-ci, une Américaine d'origine polonaise dont le mari originaire de Kiev, lui aussi, a donné sa vie pour sauver l'Europe. Le nom de cette femme est Radzanov.

Après son renvoi de chez Horowitz, Fédor s'est engagé dans l'US Army et a épousé la sœur d'un camarade polonais, un mois seulement avant l'entrée en guerre des États-Unis. Pour lui, le **Débarquement**, c'était l'occasion rêvée de revoir son frère de Chatou.

Hélas, le **jour J** n'allait pas tenir toutes ses promesses. Fédor Radzanov est tombé pour la France, à la **pointe du Hoc**, le 6 juin 1944.

Stupéfait, Sternberg écrit aussitôt à Dimitri en joignant à sa lettre cette troublante photo qui prouve qu'il ne s'agit pas des **divagations** d'un homme ayant perdu la tête à Auschwitz-Birkenau.

Je comprends enfin pourquoi mon père a si facilement accepté de m'accompagner à New York. Ce n'était pas pour Horowitz, mais dans l'espoir de rencontrer sa **belle-sœur** et son neveu, car j'apprends **de surcroît** que j'ai un cousin né en juillet 1944 et prénommé Igor.

Sternberg nous révèle enfin que la femme de Fédor s'est remariée et qu'elle vit **désormais** en Australie.

Nous reprenons l'avion dans quelques heures. Juste le temps

pèlerinage pilgrimage
gamins little kids
glissades slips and slides
à tombeau ouvert at breakneck speed
luge sled, toboggan

abasourdi dumbstruck

au fond de lui deep down inside
le lançait was setting him in motion
membre limb
croix blanche white cross
fleurissant decorating
falaises cliffs
passer au travers to make it through, slip through the cracks
un de ces quatre matins one of these days
fendue cracked, split
naufrage wreck

blanchisserie laundry
fait la navette shuttles back and forth
linge laundry, linen
paquebots ocean liners
allumettes matches

à peine barely

dépit vexation
banquette avant front seat
serré squeezed
au fer rouge with a red-hot branding iron; *also*: with a "red" (*i.e.*,
    Communist) branding iron
rétroviseur rearview mirror
flamboyer shine, sparkle
brouillard fog
assommé overwhelmed, exhausted

de faire un **pèlerinage** dans SoHo, sur les lieux où a vécu cet oncle mort, ressuscité et à nouveau disparu. Des **gamins** font des **glissades** sur les trottoirs gelés le long des façades *cast-iron* de Green Street, et papa se souvient de descentes **à tombeau ouvert** rue Saint-Alexis, à Kiev, sur une vieille **luge**. Fédor le portait sur ses épaules. Et il a continué à le faire tout au long de ces années de séparation, et ce, bien qu'un océan les séparât. Je suis **abasourdi** par cette histoire folle mais vraie. Pourquoi mon père gardait-il le secret? Il m'avoue que, dans sa lettre, Sternberg ne lui avait pas tout dit. Il espérait revoir son frère vivant et m'en faire la surprise. Il avait toujours senti **au fond de lui** que quelque chose **le lançait**, comme un **membre** amputé qui continuerait à remuer. Et encore maintenant, il a le sentiment profond que Fédor n'est pas une **croix blanche** parmi des milliers **fleurissant** les **falaises** de Normandie, mais qu'une fois de plus il a pu **passer au travers** et qu'**un de ces quatre matins** ils pourront enfin se serrer l'un contre l'autre. Seulement, la glace s'est **fendue** sous les pieds de Mitia et il va falloir que Fédor, s'il vit encore, pousse très fort sur sa luge s'il veut arriver avant le **naufrage**.

Sternberg nous conduit à l'aéroport dans son véhicule de fonction. Employé dans la plus grande **blanchisserie** de New York, il fait la **navette** entre l'Upper East Side et les docks où il décharge le **linge** sale des **paquebots**. Le dimanche, il chante dans les chœurs orthodoxes de la cathédrale Saint-Nicholas. Papa sort une Gauloise de son paquet, la porte à ses lèvres et cherche ses **allumettes**. Sternberg raconte que c'est l'Armée rouge qui l'a délivré. Des soldats de 17 ans **à peine**, les enfants de ceux qui les avaient chassés de Russie dans les années 20. On lui a tendu un paquet de cigarettes, du chocolat, on lui a demandé de sourire aux caméras pour immortaliser ce moment. De **dépit**, papa jette cigarette et paquet par la fenêtre. Nous tenons à trois sur la **banquette** avant. Je suis au centre, **serré** entre deux destins marqués **au fer rouge**. Dans le **rétroviseur** extérieur, je regarde **flamboyer** une dernière fois les tours de Manhattan.

L'avion décolla avec trois quarts d'heure de retard à cause du **brouillard**. Mon père était **assommé** par tout un cocktail à base de

bandeaux blindfolds, sleep masks

cloué nailed
poteau stake
comprimé pill
me fit jurer made me swear
lever du soleil sunrise
fait le plein gotten my fill

joué le plomb fired away
Le plomb dans l'aile! He's on his last leg; He's in bad shape
sombrer sinking

agenouillé on his knees

barillet barrel
détente trigger
en sursaut with a start
sueur sweat
slalome slaloms, winds
affalé slumped
bouffée rush
tête de bûche blockhead
s'en alla passed away
amers bitter
royaume realm
guettait watched for, was on the lookout for
facteur mailman
père Noël Santa Claus

fatigue, de souffrance, d'émotions. On distribuait des **bandeaux** noirs pour dormir. Papa en prit un et se le colla aussitôt sur les yeux. Ce spectacle ne pouvait qu'accentuer mon malaise, rendant parfaite la ressemblance avec un condamné à mort **cloué** au **poteau** d'exécution. Il accepta de prendre un **comprimé** pour dormir, mais **me fit jurer** de le réveiller lorsque l'avion survolerait les plages du Débarquement. Il s'était bien renseigné sur notre plan de vol et pour rien au monde il n'aurait voulu rater le **lever du soleil** sur la pointe du Hoc.

Avant de quitter New York, j'avais **fait le plein** de journaux rendant compte du jubilé d'Horowitz.

– Tu ne veux pas savoir comment c'était ?

– Quoi donc ?

– Le concert ?

– Non.

– Il a **joué le plomb** !

– **Le plomb dans l'aile** ! dit mon père avant de **sombrer** d'un seul coup.

Entre ciel et terre, je refais ce sale rêve qui me poursuit depuis la guerre. Dimitri est **agenouillé** devant cet officier aux yeux de faïence, lequel sort son revolver, ôte toutes les balles du chargeur sauf une, fait tourner le **barillet** et me tend l'arme avec un sourire sadique. Il m'ordonne de jouer à la roulette russe avec papa. Si je refuse, les soldats nous ferons subir le même sort qu'au chien des Sternberg. Chaque fois que j'appuie sur la **détente**, papa récite une note de musique. Do… Ré… Mi… Fa… Je m'éveille en **sursaut**. La **sueur slalome** le long de mes tempes. Mon père est toujours **affalé** contre moi. Je relève un peu sa couverture. Je suis pris d'une immense **bouffée** d'amour pour cette sacrée **tête de bûche**.

Mon père **s'en alla** peu de temps après notre retour de New York. Ces derniers jours ne furent ni tristes ni **amers**, mais illuminés par l'espoir que son frère allait lui revenir du **royaume** des ombres. Il **guettait** le **facteur** avec l'impatience d'un gamin qui espère la venue du **père Noël**.

pas mal quite a bit

tableau painting

Edvard Munch (1863–1944) Norwegian symbolist painter and printmaker. Here, the narrator describes a scene like that depicted in Munch's *Night in St. Cloud* (1890).

désespère lose hope for, become discouraged by

cabochards stubborn

bras de fer struggle

failli nearly

impuissance powerlessness

minait undermined, consumed

crève-cœur heartbreak

acquis won over

décevoir disappoint

vieillesse old age

soulager relieve

retarder delay

vaincre conquer, cure the illness

se fût refroidie had gone cold

paye pay for

les pieds devant feet first

fixe une barre sets a limit, draws a line

Faucheuse Grim Reaper

serment d'Hippocrate Hippocratic Oath, physician's oath

choquions were clinking

revint sur came back to, brought up again

– Non, encore rien aujourd'hui, monsieur Radzanov, mais, vous savez, il y a **pas mal** de retard dans le courrier en ce moment !

Chaque fois que je songe à sa silhouette en robe de chambre derrière le bow-window du salon, je pense à un **tableau d'Edvard Munch**. Il ne fumait plus en mémoire de Mme Sternberg et pour que je ne **désespère** pas de mes futurs clients. Tous ne seraient pas aussi **cabochards** que lui ! Hélas, cette bonne résolution arrivait trop tard. Il eut encore la joie de me voir passer avec succès ma spécialité. Je ne lui dis pas le terrible **bras de fer** qui s'était joué dans ma conscience. J'avais bien **failli** arrêter mes études tant mon **impuissance** face à sa maladie me **minait**. Renoncer au théâtre avait été un **crève-cœur**. Mais avais-je vraiment les testicules pour monter sur scène chaque soir ? Je préférais me produire dans l'ombre, jouer au « médecin » devant un public forcément **acquis** à ma cause en essayant de ne pas trop le **décevoir**, tout en sachant qu'il n'existe aucun remède à la **vieillesse** et à la décrépitude. On peut **soulager** (un peu), **retarder** (à peine), **vaincre** jamais.

Il ne touchait plus à son piano, non que sa passion se fût **refroidie**, mais ses doigts déformés par l'arthrose ne pouvaient plus se plier aux cadences infernales. En revanche, il écoutait très souvent de la musique sur son vieil électrophone (il refusait que je lui en **paye** un neuf). La modernité entrerait dans cette maison quand il en serait sorti… **les pieds devant**.

Il appréciait particulièrement Alfred Cortot et Dinu Lipatti. De Face de Chou, il ne fut plus question entre nous.

À la fin du mois de juin 1953, son état se détériora brutalement. Chaque homme **fixe une barre** à son combat contre la **Faucheuse**. Mon père avait décidé de tenir jusqu'à mon **serment d'Hippocrate**. Ce jour-là, il insista pour déboucher le champagne et, alors que nous **choquions** nos coupes, il **revint sur** notre affrontement à l'hôtel Tzareva, le soir du jubilé. La seule vraie fausse note dans nos relations.

– Ce que tu m'as dit ce soir-là, tu le pensais vraiment ?

– Papa, j'ai eu tort, je me suis excusé, c'est bon !

conseillé advised

gratter la croûte pick at the scab

pesé à ce point weighed so heavily

cordon cord
l'étranglait was strangling him
serres claws
de t'élever of raising you
fait la part des choses put things into perspective, taken these
  things into account

avait hâte was eager
déguerpir leave, beat it
étendu laid to rest

bruyère heather
en chiens de faïence in a hostile manner, in stony silence
ferait la gueule would sulk
arbitre referee

errait was wandering
arroser sprinkle
pensées pansies
immortelles everlastings
toutou little dog

soulevant lifting

à jamais forever

– Tu sais, mon fils, j'ai toujours eu une haute idée de toi. Tout ce que je t'ai **conseillé** de faire me semble juste. Mais si tu penses le contraire…

– Tout est clair entre nous.

Plus tard, il se remit à **gratter la croûte**.

– Si Fédor avait vécu, je veux dire s'il n'avait pas joué les fantômes de l'opéra, ta grand-mère n'aurait sans doute pas **pesé à ce point** sur notre vie. Il était son préféré et il le savait, ce qui a sûrement dû influer sur sa décision de faire le mort. Une façon radicale de couper un **cordon** qui **l'étranglait**. Elle a rejeté tous ses espoirs sur moi et j'ai dû me fabriquer une peau de rhinocéros pour me protéger de ses terribles **serres** ! Cela a sans doute eu des conséquences sur mon caractère et ma façon de **t'élever**. Mais je suppose que tu es assez intelligent pour avoir **fait la part des choses**.

Il **avait hâte** d'être avec Violette au cimetière et que le gardien ait enfin un bon prétexte de ne plus lui demander de **déguerpir** parce qu'on allait fermer les grilles. Hiver comme été, désormais, il serait libre de s'entretenir avec sa bien-aimée sans limite d'heure. C'était le bon côté de l'éternité ! Mais il en existait un mauvais. Se retrouver **étendu** sous la **bruyère** entre sa femme et sa mère qui devaient se regarder **en chiens de faïence**, quelle angoisse ! S'il parlait à l'une, l'autre lui **ferait la gueule** pour les siècles des siècles. Je lui dis que ce serait une occasion rêvée de faire parler ses talents d'**arbitre** !

Deux semaines avant sa mort, il revint du cimetière avec un chien. L'animal **errait** parmi les tombes, levant parfois la patte pour **arroser** les **pensées** et les **immortelles**. Il avait suivi papa jusqu'à la maison. Ce chien perdu était la réplique exacte du **toutou** servant d'emblème au label « La Voix de son Maître ». D'ailleurs, il se mettait à faire le beau et à chanter en tournant sur lui-même chaque fois que papa mettait un disque. Pour ses talents de danseur, papa l'avait baptisé Fédor. Il lui parlait tout bas, en lui **soulevant** une oreille, et on sentait qu'il y avait entre ces deux-là plus que de la complicité.

Dimitri Radzanov mourut le 9 septembre 1953. Il serait **à jamais**

rangement organizing, tidying
trier sort through
est parti left, *i.e., * passed away
pochette record jacket
interprète artist
sur quel air to which tune
s'emparant laying hands on
s'écroula collapsed

depuis le seuil from the threshold
demeure resting place
embraser set aglow

se faisait soigner was undergoing treatment
craqué cracked, had a breakdown
« bouffon » buffoonish, comical

colites colitis
ne dataient pas d'hier didn't begin yesterday

ne tournait pas rond was not doing well, was mentally unsound
rechute relapse
esbroufe showing off, bluffing

épate ostentation
sine die *Latin:* indefinite

péritonite peritonitis
mal de bide bellyache

d'un an plus jeune que son propre père. J'étais resté près de lui toute la journée. Il avait voulu faire du **rangement** et on s'était mis à **trier** ses disques à genoux sur le parquet. On peut dire que mon père **est parti** en musique, et ce, bien que l'électrophone soit resté fermé. Nous connaissions par cœur le contenu de chaque **pochette** et il nous suffisait de lire le nom de l'**interprète** et le titre du morceau pour l'avoir aussitôt dans l'oreille. Il devait avoir fixé l'heure de son départ et savoir **sur quel air** il souhaiterait quitter cette terre, car c'est en **s'emparant** du *Beau Danube bleu* de Richard Strauss qu'il **s'écroula** soudain. C'était ce qu'il jouait au piano le jour où maman et lui s'étaient rencontrés.

Chaque soir, **depuis le seuil** de sa dernière **demeure**, papa peut voir le soleil couchant **embraser** la façade des usines Pathé-Marconi.

Juste après l'enterrement, je suis parti à Vevey, avec Fédor. Je rouvrais le chalet de mes grands-parents lorsque j'appris que je n'étais pas le seul à profiter de l'été indien au bord des lacs suisses. Horowitz **se faisait soigner** incognito dans une clinique des environs de Lucerne. Il avait **craqué** à la suite d'un concert qualifié de « **bouffon** » à Minneapolis un mois jour pour jour après son triomphe à Carnegie Hall. Plusieurs raisons pouvaient expliquer ce passage abrupt de la lumière aux ténèbres. Ses **colites** à répétition, qui le mettaient dans un état second, ses disputes avec Wanda, qui **ne dataient pas d'hier**, mais atteignaient leur paroxysme au point qu'il couchait à l'hôtel, son problème avec Sonia, cette créature étrange qui **ne tournait pas rond**, le lynchage médiatique dont il faisait l'objet depuis sa **rechute** dans l'**esbroufe** et la théâtralité (on lui reprochait de ne pas prendre de risque en jouant toujours les mêmes œuvres, des morceaux spécialement adaptés à son goût de l'**épate**), bref, ceci ajouté à cela avait contribué à l'ajournement *sine die* de toutes ses tournées et à son internement psychiatrique.

Il n'en était pas à sa première dépression. Déjà, en 1938, si l'on s'en réfère à l'album d'Anastasie, il s'était retrouvé dans la même situation après avoir été opéré d'une appendicite imaginaire (sa mère avait succombé à une **péritonite** et, au moindre **mal de bide**, il fallait

pompes funèbres funeral home
s'est épanoui blossomed, opened up
se faisait regonfler got put back on his feet
flairé sensed, smelled
piège trap
ver worm
déprime depression
hameçon fish hook
mû driven, moved
hasard chance
franchir le pas take that step

actuellement presently
Intox False information
caducée medical logo, *i.e.,* his status as a doctor

soignez are treating

pensionnaires residents
se chamaillaient were squabbling
espace loisir recreation room

appeler les **pompes funèbres**). C'est en 38, soit dit en passant, que papa se remit au piano, et il est amusant de noter qu'il **s'est épanoui** dans le silence d'Horowitz. Ce dernier était donc à nouveau *knock down* et **se faisait regonfler** à grand renfort de séances d'électrochocs. Je me souviens du jeu de mots de papa, dans l'avion, « du plomb dans l'aile »… il avait bien **flairé** le **piège**, voyant avant tout le monde le gros **ver** de la **déprime** s'agiter au bout de l'**hameçon** du succès !

J'étais sincèrement affecté par cette affaire. Volodia faisait un peu partie de la famille et, **mû** par un réflexe de Pavlov, je décidai donc d'aller lui rendre une petite visite dans cette clinique de Lucerne où il résidait. La proximité de nos villégiatures n'était pas le fruit du **hasard**, mais bien un signe m'invitant à **franchir le pas**.

Au centre de thérapie, on me dit que je devais être mal informé, car aucun M. Horowitz n'était **actuellement** en traitement. **Intox** bien évidemment. J'insistai pour voir le directeur, me servant de mon **caducée** comme d'un passe.

– Que puis-je pour votre service, docteur Radza…

– Radzanov. Je souhaiterais parler à M. Horowitz. Rassurez-vous, il me connaît.

– Je suis désolé, docteur Radzanov, mais aucun M. Horowitz ne bénéficie de nos soins à ce jour.

– Vous ne le **soignez** pas ? Dans ce cas, permettez-moi de m'en charger.

Je déposai sur le bureau du directeur une petite boîte de suppositoires.

– Des antispasmodiques. Uniquement à base de plantes.

À ce moment précis, un air de piano (je crois bien qu'il s'agissait d'*Excursions* de Samuel Barber) résonna à nos oreilles, couvrant les cris des **pensionnaires** qui **se chamaillaient** dans l'**espace loisir**.

– Qu'il en prenne un matin et soir. C'est excellent pour ce qu'il a.

En quittant la clinique, j'étais heureux, oui, heureux et soulagé que Volodia continue à travailler sa musique et je lui souhaitai les mêmes bonheurs que ceux que Dimitri avait connus à Chatou lorsqu'il s'était mis à jouer par amour. Mais quel amour soutenait Horowitz ? C'était

le hic the catch
confier to confide
enseignement teaching, instruction
médisants slanderers
envieux envious people
piquer son pognon stealing his cash
se casser les reins ruin his own career
sournoise underhanded, devious
laudatrice fan
doué gifted
condisciples classmates
maillon link

me rendis compte realized

cabinet doctor's office

sans un radis penniless
plein aux as loaded with money
se mettre à défiler to start filing in
pousses shoots, sprouts
chevaux horses
détendent calm, steady
à défaut de for want of
dévouement devotion
tenter leur chance try their luck
rythme de croisière cruising speed

coulisser sliding
bandes blanches white stripes [of the tennis court]
pousserais would set off

bien là **le hic**. Il marchait seul dans un désert de plus en plus aride. Père au goulag, mère décédée, épouse hystérique, fille psy, pas d'amis à qui **confier** ses doutes, pas de confrères avec lesquels partager sa passion, aucun élève (il ne croyait pas à l'**enseignement**). Son monde n'était peuplé que de **médisants**, d'**envieux**, de parasites et de gangsters, qui ne rêvaient que de lui **piquer son pognon** et de le voir **se casser les reins**. C'était chose faite. Le seul à s'inquiéter réellement du sort de ce pauvre homme, c'était moi : Ambroise Radzanov… Le petit-fils de sa plus **sournoise laudatrice**, le fils du plus **doué** de ses **condisciples**, le neveu de son ancien secrétaire particulier, dernier **maillon** de la chaîne ukrainienne, ultime représentant encore vivant d'une longue lignée de gardiens du temple.

Horowitz n'avait plus que moi et, dans le train qui me ramenait vers Paris, je **me rendis compte** avec une cruelle évidence que je n'avais plus que lui.

À mon retour de Vevey, je ne vendis pas le pavillon. J'y installai mon **cabinet**. Médecin des pauvres, comme le docteur Destouches qui aurait au moins fait une vocation. Lorsqu'on est malade, qu'on soit **sans un radis** ou **plein aux as**, on est toujours un pauvre homme. Mes premiers clients allaient **se mettre à défiler**, des jeunes **pousses**, des vieux **chevaux**, il n'y a pas d'âge pour avoir mal. Séance après séance, j'apprendrais mon métier, trouvant les mots qui rassurent et ceux qui **détendent**, **à défaut de** connaître les paroles qui sauvent. Ma simplicité et mon **dévouement** finiraient par payer. Le piano de mon père ne quitterait pas la salle d'attente. Toujours ouvert, il inviterait mes petits patients à **tenter leur chance**.

Année après année, je prendrais mon **rythme de croisière**. Un malade toutes les demi-heures, ponctuées par la mélodie du carillon Westminster. Ma journée finie, j'irais promener Fédor dans les hauts de Chatou. Il me précéderait jusqu'au cimetière des Landes où nous attendrait le reste de la famille.

Les dimanches varieraient selon les saisons. L'été, j'irais au Vésinet pour admirer les jambes couleur miel **coulisser** le long des **bandes blanches**. L'hiver, je **pousserais** jusqu'au stade de Montesson et

ballon rond   soccer
patauger   splash about
boue   mud, slush
redresseraient la tête   would turn their heads
intempestif   untimely

diplomatie oblige   for the sake of diplomacy
mélomane devant l'éternel   inveterate music lover
liée   tied, connected

fourcherait   would make a slip

elle   *i.e.,* Sonia, Horowitz's daughter

enterrement   burial

chevreuil   venison
sanglier   wild boar
coincé   stuck
convive   guest

confus   ashamed

ors   golden hues, brighter aspects
écorner   to chip away at
crêpe   a mourning band
palace   luxury hotel
lueur   glimmer
allumerait   would light up
détient   holds, is the keeper of

j'observerais les amateurs de **ballon rond patauger** dans la **boue**. Soudain un coup de sifflet strident interromprait la partie. Les joueurs **redresseraient la tête** comme un seul homme, cherchant à localiser la provenance de ce rappel à l'ordre **intempestif**. J'aurais déjà repris ma marche, serrant dans ma poche la relique paternelle.

De temps à autre, **diplomatie oblige**, j'honorerais quelques invitations chez des clients du Pecq ou du Vésinet.

– Permettez-moi de vous présenter le docteur Radzanov. Un grand **mélomane devant l'éternel**. Sa famille était très **liée** au célèbre…

– Oh !... Ah !... Très bien !

Et ce serait au cours de l'une de ces soirées de vin et de cigare que, inévitablement, une langue **fourcherait** :

– Je l'ai appris à la radio en venant… On l'a découverte dans son appartement de Genève… on pense qu'**elle** s'est suicidée… Oh ! elle était perturbée depuis très longtemps… Il paraît que son père ne s'est pas déplacé pour l'**enterrement**, il a seulement choisi la musique et n'a pas interrompu sa tournée… Pas facile d'être la fille d'un géant !

Le morceau de **chevreuil** ou de **sanglier** resterait **coincé** sous ma langue, je deviendrais blanc comme les lys du salon, la maîtresse de maison se pencherait à l'oreille du **convive** indiscret et lui murmurerait la petite phrase : « Horowitz tss tss tss ! »

– Je suis **confus**, vraiment, j'ignorais que vous vous connaissiez… Était-elle musicienne comme son père… ?

– Non, mon oncle lui avait enseigné la danse et il rêvait d'en faire une étoile !

Ma grand-mère n'avait conservé que les **ors** de la légende, il me faudrait quelque peu **écorner** le mythe, habillant de **crêpe** cette photo de mon oncle et de Sonia Horowitz retrouvée morte à 41 ans dans un **palace** genevois. Sur cette photo, Fédor resplendissait, et avec quelle tendresse cette petite fille lui souriait. Il n'y avait pas encore dans ses yeux cette **lueur** de folie que l'égoïsme ou l'incompréhension de son père y **allumerait** plus tard. Et si Volodia avait chassé son secrétaire par jalousie ? Seul Horowitz **détient** la vérité, et mon rôle n'est pas

envers et contre tout through thick and thin
faits facts
les tabacs et les bides the highs and the low, the successes and the
    failures
prouesses feats
lâchetés cowardly acts
casseroles slanders
soupir sigh, breath

percluses crippled
squelettes skeletons, bones
parviennent reach
salle d'attente waiting room
volées stolen
pataudes clumsy
s'élèvera will arise
guette wait for
chairs flesh
dénouer les nœuds loosen the knots
torsions twisting, deformation
craquer crack
adversaire opponent
en herbe budding
scellée set
meulière stone
osseuses of the bones
Sur rendez-vous By appointment
J'ai tout mon temps I have all the time in the world

de le juger, mais d'entretenir la flamme du souvenir, d'accomplir le devoir de mémoire. Je poursuivrais l'album **envers et contre tout**, y inscrivant les **faits**, rien que les faits, **les tabacs et les bides**, les hommages et les **casseroles**, les **prouesses** et les **lâchetés** jusqu'au dernier **soupir** d'un homme qui ne m'aurait même pas salué s'il m'avait croisé dans la rue. Et pourtant, il n'est plus permis à personne d'en douter, nous étions très liés.

Les semaines se suivent et se ressemblent, et cette routine n'est pas pour me déplaire. Je fais jouer mes dix doigts sur de vieilles carcasses **percluses** de douleurs ou sur de jeunes **squelettes** aussi fragiles que du verre.

De loin en loin me **parviennent** de la salle d'attente, comme **volées** au piano de mon père, quelque notes timides et **pataudes** – les premiers accords d'*Au clair de la lune* ou de *La Lettre à Élise*. Tôt ou tard **s'élèvera** une sonorité inconnue qui me rendra la magie de mes dix ans. Je **guette** ce miracle, penché sur les **chairs** souffrantes, cherchant à **dénouer les nœuds**, à réduire les **torsions**, à entendre, sous mes doigts, **craquer** l'**adversaire**. Oui, un jour ou l'autre, de tous mes pianistes **en herbe**, se dressera un fameux boxeur d'ivoire.

Ma plaque est bien **scellée** dans la **meulière** :

DOCTEUR AMBROISE RADZANOV.
ANCIEN INTERNE DES HÔPITAUX DE PARIS.
SPÉCIALISTE DES MALADIES **OSSEUSES**.
SUR RENDEZ-VOUS.

J'ai tout mon temps.

China et la grande fabrique

China and the Big Porcelain Factory

« L'Américain »

"The American"

Alexis Salatko

Annotation by
Gerald Honigsblum, Ph.D.

Editor's Preface

His feet in the mud,/Gold in his hands.

When Marc Dubreuil arrives in Limoges in 1847, he's a just an impoverished kid ready to make his mark on the world. Possessed of a special gift, he feels destined to prevail, as the Rimbaud of porcelain painters, through sacrifice, patience, and determination.

A businessman by the name of Simon Hollister, a native of New York City, harbors great ambitions for the French porcelain of exceptional whiteness that has taken America by storm. At his instigation, grimy workshops in Limoges are transformed into factories. From the countryside, poor laborers flock to the city in search of employment. The smokestacks billow.

Alexis Salatko has long-standing ties to Limoges and its world-renowned porcelain, and has recently completed a novel tracing the panorama of the porcelain industry that made the city famous in the 19th century. The American who comes in and shakes up the sleepy town is based on David Haviland, who left a thriving business in his native New York to establish a porcelain factory in Limoges, when he could not persuade French porcelain makers to produce wares that satisfied American tastes.

In this chapter, titled "L'Américain," we learn about the effect the American businessman had on the artists and craftsmen of Limoges. Instead of welcoming him and the opportunity he represented to sell their porcelain in the United States, they saw him as a threat to their established way of doing things and feared the changes he was bringing to their town and industry. Hollister/Haviland's innovation was to create a porcelain works where the china was not only molded and fired but also decorated. This was a radical departure from the traditional Limoges method of making only plain ware and sending it to Paris for decoration. In this chapter we get a taste of how the French artisans protested when confronted with the American's new ideas. Dubreuil, however, recognizes that Hollister's business model will revolutionize the manufacture of porcelain and he is so eager to work for the American that he goes to his house at night to ask for a job.

The book evokes a compelling image of America's emerging role in the world economy before the Civil War and in the midst of the Industrial Revolution in Europe. This revolution presages the October Revolution, whence *Horowitz et mon père* originates. Both stories portray the brittleness of life and draw inspiration from the great migratory fluxes of people, from East to West, often via France. It is ironic that Limoges porcelain factories have lately suffered economic decline and have been acquired by the Imperial Porcelain Manufacture of Saint-Petersburg.

G.H.

« L'Américain »

remplissait fulfilled

d'amuseur of entertainer

Supplicier actual name of the tyrannical character, meaning "torturer"

bouleverser turn upside down

Il se dégageait There emerged

inébranlables unshakable

pétillait sparkled

myrtille blueberry-colored

ourlée outlined

empreint marked

chargé de mission head of mission

négoce business

faïence painted pottery/earthenware

olibrius weird customer

marchand de vases de nuit chamber pot salesman

bout des doits fingertips

interlocuteur the person one speaks with, interlocutor

Alluaud...Pouyat famed Limoges china manufacturers

blanc de Limoges the legendary pure white color of Limoges porcelain

périple voyage

limousine from or pertaining to the Limousin region, whose inhabitants are known as Limougeaud(e)s. The feminine form of the adjective gave its name to the stretch automobile, and is derived from the name of a fancy covered carriage evoking the hoods worn by the Limousins. The term also refers to a breed of steer. The verb *limoger* has come to mean "to divest someone of high functions (ministers, generals, ambassadors, etc.)." It originated with the dismissal practices used by Marshal Joffre who "exiled" his subordinates to Limoges.

Mon père **remplissait** toujours les fonctions **d'amuseur** chez Octave **Supplicier**, lorsque celui-ci reçut la visite de l'homme qui allait **bouleverser** sa vie et contribuer à sortir Limoges de sa nuit médiévale.

Simon Hollister avait alors trente-quatre ans. **Il se dégageait** de toute sa personne un calme et une volonté **inébranlables**. Une sorte d'ironie bienveillante **pétillait** dans ses yeux **myrtille**. Sur ses lèvres roses et **ourlées** flottait en permanence un imperceptible sourire, **empreint** d'une tranquille certitude. À la fois tendre et dur, transparent et complexe, fragile et résistant, il était le reflet même de cette porcelaine qui bientôt le rendrait célèbre dans le monde entier.

Il se présenta à Supplicier comme le **chargé de mission** de la société américaine Hollister Brothers & Co, établie à New York, 35, Fisher Street, et spécialisée depuis 1820 dans le **négoce** de la **faïence** anglaise.

— Désolé, cher monsieur, mais je ne vois pas bien ce que je peux pour vous, dit Supplicier, assimilant cet **olibrius** à un **marchand de vases de nuit**.

— M'écouter.

Possédant sur le **bout des doigts** son sujet, l'envoyé de Fisher Street étonna son **interlocuteur** par la pertinence et la profondeur de ses analyses. L'hommage qu'il rendit aux **Alluaud**, aux **Pouyat**, à tous ceux qui avaient contribué à la renommée du « **blanc de Limoges** », était sincère et spontané. Pourquoi aurait-il accompli ce long **périple** s'il n'avait pas été intimement convaincu de la supériorité de la porcelaine **limousine** sur n'importe quelle faïence anglaise ?

Il se voulait He fancied himself
éloge praise
blâme disapproval
franchise frankness
grincer grind
relâchement relaxation
endormissement dozing off
repli withdrawal
préconiser to advocate
bond en avant leap forward
remise en cause questioning
nécrosé dying
outre-Atlantique on the other side of the Atlantic

griller des neurones rack one's brain

Sèvres Paris suburb famous for its porcelains, ceramics, and earthenware

blême pale

enjoliver embellish
mâchoires pantelantes panting jaws
but purpose
dessinateurs confirmés experienced draftsmen
dessin drawing
former train
apprentis apprentices
mettre en valeur highlight
on se devait it behooved one
épurées refined
allégées lightened
pompiers pretentious
épithètes attributes

Il se voulait cependant impartial et, de l'**éloge**, passa au **blâme**, avec la même déconcertante **franchise**. À ce moment, Supplicier commença à **grincer** des dents. Ce Hollister qu'il ne connaissait ni d'Ève ni d'Adam osait maintenant lui reprocher un certain « **relâchement de l'activité** », un « **endormissement** du marché » dû à un regrettable et dangereux « **repli** sur soi », et de **préconiser** « l'urgente nécessité de se renouveler » pour développer le commerce hors des frontières européennes.

Pour ce businessman accompli, cet indispensable « **bond en avant** » passait par toute une **remise en cause** d'un système **nécrosé**, par une adaptation des mentalités à l'esprit de modernité qui régnait **outre-Atlantique**, par un désir de coopérer avec une nation puissante et riche qui ne partageait pas nécessairement le goût français.

– Qu'est-ce que vous proposez concrètement ? demanda Supplicier, qui devait **griller des neurones** en quantité industrielle pour suivre le raisonnement de l'Américain.

– Changer les formes et les décors, déclara Simon. Je ne vois que cette solution.

– Nos décors plaisent à **Sèvres**.

– À Sèvres peut-être, mais pas à New York. J'ai donc l'intention de créer un atelier de décoration ici même, à Limoges, pour répondre à la demande de mes compatriotes.

Supplicier devint **blême**.

– J'ai fait affaire avec déjà beaucoup de tes *partners*. Ils me fabriquent des formes spéciales que je leur commande et je m'apprête à les **enjoliver** à ma façon.

– C'est-à-dire ? articulèrent les **mâchoires pantelantes** de Supplicier.

L'Américain finit par révéler le **but** de sa visite: il recherchait des **dessinateurs confirmés**, ou plutôt des professeurs de **dessin** pour **former** des **apprentis** capables de **mettre en valeur** les qualités exceptionnelles de la porcelaine de Limoges. Il estimait que, lorsqu'on possédait une matière si noble, si parfaite, **on se devait**, par le jeu des contrastes, exalter le blanc et la transparence.

Les formes actuelles exigeaient d'être **épurées** et **allégées**, tout comme les décors, qu'il jugeait **pompiers**. Ces **épithètes** rendirent un

gémissement moan
blessée wounded
chambouler make a mess of
prétendait intended
voler ses melons steal his staff
Veni, vidi, vici I came, I saw, I conquered, phrase attributed to
  Caesar in Gaul
lâcha let slip

A fortiori All the more
sans se départir de without losing
louer hire out
aspira l'air à pleins poumons took deep breaths

trompez are mistaken

s'inclina bowed

arraisonner inspect
Amerloque derogatory for "Américain"
faire main basse have a stronghold
ostrogoth barbarian
terrain conquis conquered territory
passé au crible examined closely
du sol au plafond from the ground up
Ami bien-aimé Dearly beloved
fait said he
sèment sow
moissonnent harvest
amassent gather up
greniers attics, lofts
À défaut d' For lack of
pigeons *here:* suckers
pardi by God

son si désagréable à ses oreilles que Supplicier émit un **gémissement de bête blessée.**

Il venait enfin de comprendre que, sous prétexte de **chambouler** l'ordre établi, ce diable d'Américain **prétendait** lui **voler ses melons.**

– *Veni, vidi, vici !* lâcha Supplicier dans un spasme.

– Tu dis ?

– C'est du latin, monsieur. Mes artistes sont attachés à cette maison et il n'est pas question que je m'en sépare. **A fortiori** si leur travail manque d'intérêt.

– Leur technique pourrait être utile à mes élèves, dit Simon **sans se départir de** son calme. Il ne s'agit que de **louer** leurs services.

– Non, monsieur, non. Le génie ne se loue pas. Et je vais vous dire une bonne chose. (Il **aspira l'air à pleins poumons.**) Ici, chacun possède ses petits secrets, lesquels n'ont pas de prix. Ce qui signifie que vous vous **trompez** énormément en pensant vous attribuer des richesses que par ailleurs vous dénigrez. Si notre manière de faire vous déplaît, libre à vous de créer votre style, mais sans nous, je le répète : sans nous...

Cette parole, prononcée d'une voix moribonde, sonnait comme une dernière volonté. Simon Hollister **s'inclina** respectueusement et sortit.

Quelques instants plus tard, Supplicier reçut la visite de son *partner,* Casimir Molter. Le petit taureau voyait rouge. Il venait lui aussi de se faire **arraisonner** par cet « **Amerloque** » qui entendait ni plus ni moins **faire main basse** sur la ville.

– Que t'a-t-il dit ?

– Eh bien, cet **ostrogoth** est arrivé comme en **terrain conquis** et, après avoir **passé au crible** mes installations, autrement dit tout dénigrer **du sol au plafond**, voilà qu'il se met à me parler comme dans la Bible : « **Ami bien-aimé**, qu'il me **fait**, regarde les oiseaux. Ils ne **sèment** ni ne **moissonnent.** Ils n'**amassent** pas dans les **greniers.** Et pourtant notre père céleste les nourrit. **À défaut d**'être celui qui sème, accepte d'être l'oiseau qu'on nourrit. »

– Qu'est-ce que ça veut dire ?

– Qu'il nous prend pour des **pigeons, pardi !**

planter ses choux idiom meaning "to retire"

envoyer paître send him packing
holà stop (put a stop to)
ingérences interferences

Il ferait beau voir All we need is
julots bed pans
Aubusson city in the nearby Creuze region, known for its fine
    tapestries
faire la guêpe to spy
à huis clos behind closed doors
parodier l'envahisseur parody the invader, *i.e.*, Hollister
nid nest
don gift
coquin rascal

ne bronchèrent pas [sat] without flinching
redingote frock coat
nacrés pearly
ombre shadows
Mazarin Jules Cardinal Mazarin (1602–1661), skillful Italian-born
    politician who served Louis XIV, a paradigm of the outsider
    who exercised enormous influence on domestic policies
lutinant fooling around with
Ragondine Dubreuil's mother
bâtards bastards
hasard chance
brillait par son absence stood out by his absence
retourner turn them over
parcourut l'assistance went through the crowd
censées [that were] supposed
estampille stamp

– Et que lui as-tu répondu ?

– De retourner **planter ses choux** en Australie.

– Il vient des États-Unis, mais c'est égal, tu as bien fait de l'**envoyer paître**. J'ai moi-même immédiatement mis le **holà** à ses folles **ingérences**. Mais il prétend avoir déjà conclu des arrangements avec certains confrères.

– Une assemblée générale extraordinaire se tiendra demain au café Pertat, dit Molter. Nous débattrons de ce problème tous ensemble. **Il ferait beau voir** qu'un marchand de **julots** vienne nous dicter sa loi !

Devant se rendre à un mariage à **Aubusson**, Supplicier envoya mon père **faire la guêpe** à cette table ronde qui se déroulait **à huis clos** en présence des plus fameux porcelainiers de la ville.

Molter ouvrit les débats, s'amusant à **parodier** l'**envahisseur** :

– Amis bien-aimés, le Créateur a donné à tous les oiseaux l'instinct de faire un **nid**. Seul le coucou n'a pas reçu ce **don** du ciel. Dieu, qui n'oublie rien, a donc donné à ce **coquin** la faculté de faire son nid dans le nid des autres.

Les éminents personnages assis autour de la table **ne bronchèrent pas**. Ils étaient tous là : Baignol, les deux frères Alluaud, les fils Pouyat, Gibus vêtu de sa célèbre **redingote** rose à boutons **nacrés**, Henri Ardant, Jean-Baptiste Valin et Ruaud.

Quant à mon père, qui se tenait dans l'**ombre**, sous un portrait de **Mazarin**, il avait tout le loisir d'observer ces messieurs de la porcelaine et de les imaginer **lutinant** à tour de rôle une servante qui avait les traits de la **Ragondine**. Le privilège des **bâtards** n'est-il pas de pouvoir se choisir un père parmi les hommes que le **hasard** place sur sa route ? Hélas, aucun de ceux qu'il avait sous les yeux ne correspondait à son idéal. Le seul qu'il admirait **brillait par son absence**, mais son nom courait sur toutes les lèvres.

– Mes chers et estimés confrères, poursuivit Molter, vous avez sans doute remarqué les assiettes qui sont placées devant vous. Elles sortent de vos magasins. Je vous prierais de les **retourner**.

Un murmure **parcourut** l'**assistance** quand, après avoir accédé au souhait de Molter, les participants s'aperçurent que les pièces censées provenir de leurs fabriques portaient l'**estampille** Hollister.

cauchemar nightmare
barrons bar, block
dès maintenant from this moment on
pique-assiettes freeloaders (*literally:* plate stealers, a pun on the
  fact that Hollister had stolen the design of the plate[s])
contrefaire counterfeit
corporation *here:* the assembled body
escompté expected
vibrionner rumble
le plus ancien the eldest
tourneur lathe operator

malveillance spite
en faire autant do as much

carrière de kaolin kaolin (clay) quarries
moulins à pâte paste mills
commanditaire business partner

confonde confuse

sieur lord
empêcheur killjoy
passerelle footbridge
avis opinion
liguer conspire against
bronzier bronze artist involved in porcelain decoration

barbotine a technique of pottery decoration in which a coat of slip
  is applied to form a picture or pattern

pompe à dollars dollar pump
réclame demands

— Ce **cauchemar** risque de devenir réalité si nous ne **barrons** pas la route **dès maintenant** à ces **pique-assiettes** américains qui, non contents de s'approprier nos inventions, n'hésiteront pas à les **contrefaire** et à les signer.

La mise en scène, qui ne visait qu'à monter la **corporation** contre Hollister Brothers & Co, n'eut pas l'effet **escompté**. La salle tout à l'heure muette se mit à **vibrionner**. On procéda à un tour de table, en commençant par **le plus ancien**, Étienne Baignol. Il avait débuté comme **tourneur** à la manufacture du comte d'Artois avant de voler de ses propres ailes et de connaître son heure de gloire sous l'Empire, avec ses cabarets peints par Cloostermans. Le vieil homme se contenta de rappeler son beau parcours et ses nombreuses médailles et souhaita à Hollister, ce nouveau venu qu'il jugeait sans **malveillance**, d'**en faire autant**.

Pour les Alluaud et pour les Pouyat, qui possédaient les meilleures **carrières de kaolin** du Limousin, les **moulins à pâte** et les fabriques les plus modernes, l'Américain, devenu leur premier **commanditaire**, ne représentait pas un réel danger. Comme Baignol, ces géants détenaient un fond assez solide pour se sentir à l'abri de toute concurrence. Le sublime « blanc de neige » de Pouyat n'avait pas d'équivalent sur terre et Alluaud portait suffisamment haut ses couleurs pour qu'on ne les **confonde** pas.

Loin de partager les craintes de Molter, les deux potentats n'étaient pas opposés à coopérer avec New York. Ils considéraient le **sieur** Hollister moins comme un **empêcheur** de façonner en rond que comme une **passerelle** d'accès à un marché fabuleux. Les autres fabricants partageaient cet **avis**.

— Se **liguer** contre Hollister Brothers & Co serait tuer la poule aux œufs d'or ! dit le **bronzier** Jean-Baptiste Valin.

— Je ne vois pour ma part aucun mal à ce qu'il s'amuse un peu, déclara Pierre-Justin Gibus, le maître incontesté de la **barbotine**, pourvu qu'il nous apporte des capitaux qui nous permettront de poursuivre nos recherches.

— Je suis assez d'accord, intervint Ruaut, le roi du décor rococo. Sachons nous servir intelligemment de cette **pompe à dollars** en lui vendant ce qu'il **réclame**.

débaucher *here:* raid

rinceaux decorative borders

montera sets up

accueillirent greeted

céladon light-green glaze

effectifs *here:* hired help

troisième...quatrième third-rate or fourth-rate quality

hochement du menton shake of the head, nod

aporie aporia, state of being stuck

Force leur était They had to

sommeil slumber

Belle au bois dormant Sleeping Beauty

retranchée withdrawn

fours kilns

dorénavant henceforth

relâche let up

acquis tried and true assets

dragées sugared almonds

lions artist associates, ferocious individuals

prodiguait showered

gâteries treats

Le Laboureur et ses enfants, Perrette et le Pot au lait two of
  La Fontaine's fables. The former refers to a dying man who
  warns his children against wasting the family's heritage; the
  latter, more accurately *La Laitière et le Pot au lait*, tells of young
  Perrette who plans a whole shopping spree before having sold
  the milk jug she balances on her head, but alas, she spills the
  milk before reaching the marketplace.

entendement understanding

Yin-Yang name of a local bar

prétendait claimed

ronronnant snoring, purring

sans que les effleure l'idée without it dawning on them

hantise obsession

melons *here:* bowler hat-clad men, designating a social category

convoitise covetousness

enjeu stake

coloquintes *here:* dimwits

— Savez-vous qu'il cherche à **débaucher** nos meilleurs faiseurs de **rinceaux** ? répliqua Molter. Il a déjà créé son propre atelier de décoration. Le jour où il **montera** sa fabrique, avec tous ses dollars, il trouvera bien le moyen de nous prendre aussi nos ouvriers.

Des rires et des protestations **accueillirent** cette prophétie.

— Il sera soumis aux mêmes impératifs que nous tous, expliqua Henri Ardant, virtuose du **céladon**. Les beaux objets ont un prix. S'il veut surpayer ses **effectifs**, il sera obligé de fabriquer à moindre coût et il fera du **troisième**, voire du **quatrième** choix. C'est arithmétique !

Pouyat et Alluaud confirmèrent d'un **hochement du menton** cette **aporie**.

Force leur était de reconnaître que cet étranger providentiel avait réveillé l'industrie porcelainière du **sommeil de Belle au bois dormant** où elle s'était **retranchée** depuis des années et que les **fours** devaient **dorénavant** tourner sans **relâche** pour répondre à la demande américaine.

— Heureux ceux qui savent résister au parfum de l'aventure et campent sagement sur leurs **acquis**. Je vous ai apporté des **dragées** puisque je sais que vous les aimez…

Depuis qu'il avait reçu la visite de l'Américain, Supplicier soignait ses trois **lions**. Il leur **prodiguait** des **gâteries**, les mettait en garde contre la tentation de l'inconnu en leur racontant *Le Laboureur et ses enfants, Perrette et le Pot au lait,* le mariage de son neveu d'Aubusson, autant de fables qui ne touchaient pas forcément leur **entendement**.

— Octave est bizarre en ce moment ? notait le premier.

— Vous pensez qu'il fume de l'opium ? interrogeait le second.

— On l'a vu sortir du **Yin-Yang** par la porte de derrière, **prétendait** le troisième en prenant un air mystérieux.

Ils poursuivaient leur rituel **ronronnant sans que les effleure l'idée** qu'ils puissent être indirectement responsables de ce grand désordre mental.

Supplicier vivait dans la **hantise** que ses **melons** découvrent l'extraordinaire **convoitise** dont ils étaient l'**enjeu**. S'ils apprenaient que l'Amérique s'intéressait à leur savoir, ces trois affreuses **coloquintes** n'hésiteraient pas à monnayer très cher le renouvellement

volontiers willingly
mercenariat mercenary profession
lutte struggle
fuite de ses cerveaux brain drain
ramollis gone soft
entraîna dragged
à l'écart to the side
soupçons suspicions

s'entrentenir talk
absconse abstruce

bouter l'envahisseur kick out the invader
mâchoires jaws
pièges à rats rat trap

ravagé de tics ravaged with ticks
lémurien lemur, a nocturnal primate indigenous to Madagascar.
　　The reference is to one of the men present
poursuivit en roue libre continued freely
prêchant pour son propre clocher promoting his own agenda;
　　literally: preaching for his own steeple/church
aérer lighten
chambrelans home-based artisans
à force de by dint of
peintre...plein air a reference to the painters of the Barbizon
　　School who "rediscovered" nature as a legitimate subject of art
Vienne river running through Limoges
martins pêcheurs kingfishers

de leur mandat. N'était-ce pas ce qui se passait à Paris, où les peintres de renom pratiquaient **volontiers** le **mercenariat** ?

Dans cette **lutte** pathétique pour prévenir la **fuite de ses cerveaux ramollis** par quinze années de décomposition, le pauvre homme jetait ses dernières forces.

Supplicier **entraîna** mon père **à l'écart** et s'informa de ce qui s'était dit au café Pertat. Pour ne pas éveiller les **soupçons** des amateurs de dragées, il usa d'un langage codé.

– Les musiciens ont-ils pu accorder leurs violons ? Ont-ils bien pris la mesure du drame ? Une cabale s'est-elle constituée contre la diva newyorkaise ?

– Vous voulez parler de l'Améric…

– Chuuut, malheureux…Ne prononce jamais ce nom sous ce toit… Viens par là !

Il le poussa vers l'escalier, où ils purent **s'entretenir** de façon moins **absconse**.

– Alors, dis-moi, comment entendent-ils résoudre le problème ?

– Ils se sont mis d'accord pour…

– Pour **bouter l'envahisseur**… bravo !

Ses **mâchoires** claquèrent, deux coups secs et triomphants, reproduisant le bruit du **piège à rats**.

– Il est question qu'il reste, monsieur.

– Qui ça ?

– L'Am… Je veux dire notre ami bien-aimé.

Supplicier agita les mains devant son visage **ravagé de tics** pour chasser un insecte inexistant.

– Son projet les intéresse. Ils disent que cet homme est une chance pour Limoges.

Profitant de l'absence de réaction du **lémurien**, mon père **poursuivit en roue libre**, **prêchant pour son propre clocher** :

– Il est question aussi d'**aérer** les décors. Les **chambrelans**, **à force de** rester enfermés, ne savent plus à quoi ressemblent une fleur ou un oiseau. Ils feraient mieux d'imiter les **peintres qui vont chercher l'inspiration en plein air**. Il faut sortir, monsieur, voir le monde, tremper son pinceau dans la **Vienne**, écouter le chant des **martins pêcheurs**…

brin touch
toile d'araignée cobweb
mâchoires prognathes protruding jaws
gonds *here:* came off their hinges
fils de rien *in effect:* bastard
couillon stinking idiot
fange mire

ivresse rapture
forçat convict
ôter remove
honte shame
affranchi freed
empêchaient prevented
se venger avenge himself
porteur bearer

quartier général headquarters
en retrait set back
se dressaient stood
saxifrages weeds
demeure de fonction supplied housing
bannière étoilée star-spangled banner
hampe pole
charrettes à bœufs oxcarts
portefaix unloaders
vaisselle blanche white dishware

paumes moites sweaty palms
cloche bell

Il ajouta avec un **brin** de malice qu'attendre le client au fond de sa boutique ne pouvait réussir qu'aux marchands de **toiles d'araignée**.

Il avait piqué son patron au vif. Les **mâchoires prognathes** sortirent de leurs **gonds** :

– Hors de ma vue, **fils de rien** ! Tu n'es qu'un sale petit **couillon** sans talent et sans instruction. Retourne à ta **fange**…

En descendant la rue des Petites-Pousses à une heure où il eût normalement dû s'agiter comme une marionnette, mon père éprouvait l'**ivresse** et la légèreté d'un **forçat** à qui l'on vient d'**ôter** ses chaînes. Il n'était plus enfermé dans sa douleur et dans sa **honte**, il s'était **affranchi** de certains mots qui hier l'**empêchaient** d'exister. Sans un regard en arrière, ne rêvant même pas de **se venger** de tous ceux qui l'avaient maltraité, il ne songeait qu'à rejoindre cet étranger **porteur** de lumière et de le suivre au bout du monde.

* *

*

Il se rendit directement cours Jourdan, où l'Américain avait établi son **quartier général**.

Sur un vaste terrain, **en retrait** de la voie publique, des ateliers **se dressaient** perpendiculairement à une cour pavée envahie de **saxifrages**, menant à une **demeure de fonction**.

La première chose qui frappait le regard était la **bannière étoilée** flottant fièrement au sommet d'une **hampe**, juste à gauche de l'entrée principale.

Dans la cour stationnaient des **charrettes à bœufs** d'où des **portefaix** déchargeaient de la **vaisselle blanche** en provenance des fabriques locales. Intéressé par ce va-et-vient, mon père s'approcha de la maison.

Les **paumes moites**, un papillon dans l'estomac, il agita la **cloche**.

Il s'imagina que la porte allait s'ouvrir sur l'Américain, deux fois plus grand que la première fois, en smoking jacket, un verre de brandy dans une main, un cigare dans l'autre. Il le conduirait à travers

maints numerous

phoques seal
aux antipodes from the other side of the world
complices accomplices
Marc Marc Dubreuil, the protagonist
pêche fishing
cyclope Cyclops, local monster
mégisserie tanning of sheepskin
pourriture rot

empesé stiff
dévisageait stared
dérangement trouble
accueil welcome

pénombre half light
scrutateur scrutinizing
pouce thumb

aux hanches lourdes large-hipped
tirés pulled back
glissa slipped in
des yeux with their eyes
mère hibou et ses petits mother owl and her young

aîné older
en déplacement traveling

maints couloirs aux murs recouverts de portraits de présidents des États-Unis, dans un living-room à la cheminée monumentale. Il y aurait des livres partout, des fusils, des harpons, des têtes de **phoques** et de lions rapportées de chasses **aux antipodes.**

Ils deviendraient **complices. Marc** lui confierait sa passion pour la **pêche**, lui parlerait du **cyclope**, de la **mégisserie**, bref se purgerait de toute cette **pourriture** qui l'encombrait. Puis il saisirait une feuille blanche et un crayon et lui révélerait ses talents cachés…

— *What do you want?*

La porte s'était ouverte et un jeune garçon vêtu d'un costume sombre et **empesé** le **dévisageait**. Il avait la taille d'un enfant de dix ans et une grosse tête d'adulte.

— Pardon du **dérangement**, dit mon père, déconcerté par cet **accueil** si différent de celui qu'il avait rêvé. Suis-je bien au domicile de monsieur Hollister ?

Un second garçonnet sortit de la **pénombre** du vestibule, quatre ans environ, le même regard **scrutateur**, les mêmes habits raides et tristes. Il vint se coller au jeune portier sans ôter son **pouce** de sa bouche.

Une voix féminine retentit au bout du corridor, où flottait une odeur de chocolat. Une femme **aux hanches lourdes**, aux cheveux **tirés**, toute vêtue de gris, **glissa** à sa rencontre. Les enfants se pressèrent contre elle sans cesser de fixer **des yeux** le visiteur. Son esprit de caricaturiste les classa immédiatement dans la catégorie « **mère hibou et ses petits** ».

Pardon du dérangement, répéta-t-il, de moins en moins sûr d'avoir sonné à la bonne porte, je souhaiterais parler à monsieur Hollister.

Oh ! *sorry*, dit-elle en faisant signe qu'elle ne parlait pas la langue du pays.

Elle s'adressa en anglais à l'**aîné** des enfants, lequel, dans un français impeccable, expliqua que son père était **en déplacement** et qu'il ne serait pas de retour avant une semaine, peut-être deux.

La femme eut un sourire désolé, les enfants pas de sourire du tout, la porte se referma.

LIN·GUAL·I·TY
presents

Alexis Salatko
author of

Horowitz et mon père
and

Philippe Saffar
chirurgien de la main, directeur scientifique de
l'Institut Français de Chirurgie de la Main

in an interview conducted by
Gerald Honigsblum, Ph.D.

at
Studios Coppelia, Paris

Transcribed and annotated by
Gerald Honigsblum, Ph.D.

signé de la main authored by

prétendons lay claim

mélomanes music aficionados
membre supérieur upper limb (hand)

chirurgien surgeon
entre autre among other things

soupçonniez *here:* were not thinking; *literally:* were not suspecting
avatar one who embodies a certain concept, philosophy, or in this
    case, profession

① — Madame, Monsieur, bonjour, merci de nous être fidèles. Au micro, dans les studios Coppelia en plein Paris, Gerald Honigsblum, éditeur de votre série de littérature française annotée. Je vous invite à vous joindre à nous aujourd'hui pour ce cinquième entretien de votre série Linguality, qui vous propose un très beau roman **signé de la main** d'Alexis Salatko, *Horowitz et mon père*, paru aux Editions Fayard il y a un peu plus d'un an.

— Alexis bonjour.

— Bonjour

② — *Et qui dit signé de la* main *dit beaucoup de choses, puisque Horowitz est un nom emblématique dans le monde du piano et des grands pianistes. Nous ne* **prétendons** *pas à leurs talents, leurs techniques, leurs acrobaties digitales, leur vie devant les publics* **mélomanes** *dont nous faisons partie, mais nous partageons avec eux ce* **membre supérieur** *de notre corps, qui est la main, ses fonctions, ses symboles, ses représentations. C'est pourquoi j'estime avoir eu la grande chance de pouvoir partager un moment de conversation avec un éminent spécialiste,* **chirurgien** *de la main, le Docteur Philippe Saffar, qui,* **entre autre**, *est le Directeur Scientifique de l'Institut Français de Chirurgie de la Main, l'IFCM, pour parler en sigle. Bonjour docteur Saffar.*

— Bonjour

— Alexis Salatko, vous ne **soupçonniez** *pas vous retrouver en face d'un* **avatar** *de votre narrateur, Ambroise Radzanov, qui est pour moi*

m'empêcher help myself

vécu life experience
volet part, segment
genèse genesis

culottes courtes short pants

attaches ties

aboutir end up
trait d'union link
slave Slavic

confrère colleague
ressourcez *here:* draw from
Flannery O'Connor (1925–1964) American author who used her
    native South as the setting for unsettling stories, populated with
    backwoods characters, that express her Catholic vision of the world
Bardechev town outside Kiev
hanter haunt
des années durant over many years
appréciation assessment
condisciple fellow student

*un être extraordinaire, incarnant de nombreuses dimensions dont nous pourrons parler. Mais je ne peux pas **m'empêcher** de vous demander comment vous avez inventé ce narrateur. A partir de quelles circonstances, de quel **vécu** ? Y a-t-il un **volet** biographique, autobiographique ? Aidez-nous à mieux apprécier la **genèse** de votre texte.*

— Je n'ai pas inventé le personnage du narrateur, Ambroise Radzanov, je me suis vraiment inspiré de mon père, mais on peut dire également que je l'ai imaginé, si je ne l'ai pas inventé, je l'ai imaginé, parce que mon père, à sept ans, en **culottes courtes**, évidemment je ne l'ai pas connu. Et c'est vrai, que je vous parle d'un monde que je n'ai pas connu. Donc, l'imagination a une très grande importance, mais le souvenir également, le souvenir qui m'a été transmis donc par mon père.

❸ *— Je ne sais si ce sont des coïncidences de la vie, mais, comme vous les savez, Alexis, nous avons tous les deux des **attaches** familiales et culturelles à ce monde énigmatique qui est la Russie et l'Ukraine, sources de tant de phénomènes qui ont marqué le siècle passé et qui ont transité par la France pour **aboutir** dans le nouveau monde, en Amérique…cette fonction étrange qu'exerce la France comme **trait d'union** entre le monde **slave** et l'Amérique. Nous l'avions déjà fait remarquer dans l'ouvrage qui précède le vôtre dans la série Linguality, à savoir Portraits de Pechkoff de votre **confrère** Francis Huré. Vous vous **ressourcez** beaucoup à l'est, vous êtes un écrivain français très reconnu, vous avez publié sur **Flannery O'Connor**, une grande référence en littérature américaine. Votre protagoniste, fantôme, je dirais, c'est Vladimir Horowitz, né à **Bardechev** en 1903, finalement installé à New York mais qui continue de **hanter** tous vos autres personnages **des années durant**. Quelle est votre **appréciation** de cette trajectoire de Kiev à San Francisco ?*

— Et bien, l'histoire, celle de mon grand-père qui était **condisciple** de Vladimir Horowitz au conservatoire de Kiev dans les années qui ont précédé la Révolution d'Octobre, et puis cette fameuse révolution a fait que les deux Vladimir, car en réalité mon

ont dû fuir had to escape

Chatou town west of Paris, on the Seine, home to many impressionist
painters and to the Pathé-Marconi record company
berceau cradle
hasards de la vie fortunes of life
il a fini comme chimiste he ended up becoming chemist

formés trained
voire even

Mozart et Salieri Much has been made of the supposed rivalry
between these two composers who both were employed at the
court of Habsburg emperor Joseph II. While many readers will
be familiar with the Milŏs Forman film *Amadeus* (1984, based
on the Peter Shaffer play), the first drama on the subject, a short
tragedy called *Mozart and Salieri*, was written just months after
Salieri's death, in 1825, by Russian author and poet Alexander
Pushkin.
après coup in hindsight

boxe boxing
se livrent à wage [war, battle]
Suisse Switzerland
Vevey town on Lake Geneva, known for its exclusive spas and
treatment centers, and as headquarters of food giant Nestlé
terrain de foot soccer field
se faire soigner to be treated
à mi-chemin halfway

grand-père s'appelait également Vladimir, même si je l'appelle Dimitri dans le roman, les deux Vladimir **ont dû fuir** la Russie, émigrer, l'un aux Etats-Unis pour connaître la gloire que l'on sait, et l'autre plus modestement est arrivé en France à **Chatou**, en région parisienne, Chatou, le **berceau** de l'impressionnisme, et là, l'ironie du sort, ou les **hasards de la vie** ont fait qu'**il a fini comme chimiste** aux usines Pathé Marconi de Chatou où il a, entre autres choses, fabriqué des disques pour son ancien camarade, Vladimir Horowitz.

④ — *Et puis l'histoire que vous écrivez, c'est aussi l'histoire d'une rivalité, d'un combat, réel et virtuel, entre deux pianistes issus du même pays, du même conservatoire, **formés** selon une certaine technique, **voire** une certaine idéologie. En quoi cette rivalité, ces mondes en conflit, ont-ils nourri votre imaginaire ?*

— C'est un petit peu basé sur l'histoire de **Mozart et Salieri**, cette histoire, je n'y ai pas pensé en l'écrivant, mais **après coup**, en réfléchissant à cette rivalité, c'est un petit peu la même histoire. La rivalité…je ne sais pas d'ailleurs s'il s'agit d'une rivalité dans le livre. C'est simplement l'histoire du destin qui fait que l'un de ces deux pianistes va devenir célèbre, alors que l'autre …connaît une carrière beaucoup plus obscure. On ne peut pas dire que le pianiste le plus obscure soit jaloux du pianiste le plus célèbre, bien au contraire, la vie d'Horowitz, même s'il est couvert de gloire n'est pas une vie heureuse, il ne connaît pas le bonheur. Alors que le pianiste qui est inspiré du personnage de mon grand-père, lui, va connaître au moins le bonheur familial.

⑤ — *Vous employez d'ailleurs une image de **boxe**, les deux pianistes— je reviens à cette image de « confrontation »— les deux pianistes **se livrent à** des combats imaginatifs de boxes, et se retrouvent régulièrement, notamment en **Suisse** à **Vevey**, sur les courts de tennis, ou encore sur le **terrain de foot**. Dr. Saffar, vous devez connaître des sportifs, petits et grands, qui viennent **se faire soigner** suite à leurs exploits—je pense aux accidents survenus sur les pistes de skis notamment—Vous êtes, en ce sens, **à mi-chemin** entre le sport et la culture. Ecoutez donc Ambroise*

rassurent reassure
détendent relax
à défaut short of
sauvent rescue
salle d'attente waiting room
rendra give back
guette look out for
penché leaning over
dénouer les nœuds loosen the knots
torsions wrenchings
cassures broken bones
déchirures torn [ligaments]

au fur et à mesure que le temps passe as time goes by
volet constituent

angoisses anxieties
confiant confident
guérison cure

tonton uncle

Destin Destiny
espèce de tourbillon sort of whirlwind
soit...soit either...or
échoué failed

*Radzanov : « J'apprendrais mon métier, trouvant les mots qui **rassurent** et ceux qui **détendent**, **à défaut** de connaître les paroles qui **sauvent**. Le piano de mon père ne quitterait pas la **salle d'attente**. Toujours ouvert, il inviterait mes petits patients à tenter leur chance »….et plus loin dans le texte….« Tôt ou tard s'élèvera une sonorité inconnue qui me **rendra** la magie de mes dix ans. Je **guette** ce miracle, **penché** sur les chairs souffrantes, cherchant à **dénouer les nœuds**, à réduire les **torsions**, à entendre, sous mes doigts, craquer l'adversaire. »* Quel regard portez-vous sur ces **cassures** et ces **déchirures** que vous voyez quotidiennement ?

— Il y a deux choses, il y a la maladie ou la fracture, ou ce que vous voulez, tout accident, et ça on peut le considérer avec un œil professionnel en améliorant toujours nos techniques, depuis des années, et en obtenant des résultats de… meilleurs, **au fur et à mesure que le temps passe**. Mais, il y a le patient, qui est le deuxième **volet**, et sur lequel on a beaucoup moins de pouvoir. Et, en particulier, comme vous dites, les musiciens et les sportifs. Le musicien arrive tremblant, plein d'**angoisses**, et peut-être relativement **confiant**, alors que le sportif arrive, plus ou moins arrogant et veut la **guérison** immédiate. Il est passé d'un état normal à un état pathologique, mais il ne l'admet pas. Alors que, parfois malheureusement, il va être obligé d'abandonner son sport ou de ne pas pouvoir récupérer tout ça. Et ça, il ne l'admet pas.

(6) — *Alexis, j'ai essayé, comme vous le constatez, de prolonger votre discours à partir de votre narrateur, mais pour revenir dans votre texte…. à votre sens, qui est votre protagoniste ? Est-ce Ambroise lui-même, est-ce son père Dimitri, celui de la page de titre, est-ce Horowitz, est-ce peut-être le **tonton** Freddy, ce personnage ressuscité, ou encore cette impitoyable grand-mère, Anastasie ? Je n'arrive pas à me décider, enfin, pas tout à fait…*

— Je pense que tous les personnages de cette histoire sont importants, mais le personnage principal pour moi, à mes yeux, c'est le **Destin**, ou la grande Histoire, qui va faire que tous ces personnages vont être plongés dans une **espèce de tourbillon**, un espèce de tourmente, et qui vont devoir se situer par rapport à ce contexte historique ou à ce Destin qui a fait qu'ils ont **soit** réussi **soit échoué** dans leur carrière.

tissez weave
allusion reference
glissement sliding

traversée spanning
page 26 The speaker is referring to page 26 in the original French edition; the reference is found on page 21 in this book.

ventre belly

naissance birth
clin d'œil wink, allusion

calmer calm
bougent move about

me mettais debout stood up
berceau crib

écrasé crushed

⑦ — *Dans les liens familiaux que vous **tissez**, vous faites **allusion** aux Frères Radzanov…..qui « étaient inséparables », vous dites. Y voit-on un **glissement** imperceptible entre les* Frères Karamazov *et les* Frères Radzanov, *vous avez pourtant réalisé en quelques brèves pages, une grande fresque de la société russe et sa **traversée** du XXᵉ siècle….et vous rapprochez d'ailleurs deux célèbres Fédor, Dostoïesvski et Radzanov, vous souvenez-vous, c'est à la **page 26** ?*

— Oui, tout à fait, je dois mon prénom Alexis au troisième des frères Karamazov, car lorsque j'étais, non pas cette petite chose amorphe dont on parlait tout à l'heure, mais cette main déjà qui peut-être « écrivait » dans le **ventre** de ma maman, et bien maman, elle, lisait Dostoïevski, elle lisait les *Frères Karamazov*, donc le lien était déjà là avant ma **naissance**. Et, effectivement donc, Fédor, c'est un **clin d'œil** à Dostoïevski, et l'histoire des deux frères par contre est vraie, c'est une histoire….ça ressemble, oui…

⑧ — *(Dr. Saffar)* Je voulais simplement vous dire que, on sait très bien que l'embryon, dès trois mois, entend la musique, et entend la voix de sa mère, et entend aussi…reconnaît la musique…on peut **calmer** les enfants qui **bougent** trop à partir de cinq, six mois, en leur mettant de la musique, mais j'avais jamais entendu parler de la littérature, je ne savais pas qu'ils « lisaient » en même temps que leur mère…

— Non, non, je suis certain, maintenant que vous le dites, avoir entendu de la musique, sûrement, parce que, mon père étant très mélomane—c'est mon grand-père qui lui a transmis—par contre, on m'a toujours dit que j'écrivais sur les murs, je **me mettais debout** dans mon **berceau**, et j'écrivais sur les murs, ça fait partie de la légende familiale, mais on me l'a toujours dit.

⑨ — *Je suis marqué, Alexis, par les nombreuses incursions que font vos personnages dans les arts du spectacle. Vous êtes vous-même proche du cinéma, du théâtre. On a le sentiment que cette grande épopée est celle de l'émancipation d'un peuple **écrasé** par l'histoire, ce vaste monde orthodoxe, sans entrer dans un discours confessionnel, cependant riche en enseignement,*

échappatoire escape
montant sur scène stepping on stage
coulisses backstage
régie control/projection room

conformément in accordance with
comédienne actress

me suis rendu dans made my way into
mettre en scène to stage
décors stage sets
démarche step taken
metteur en scène director

en représentation on display
se savent observés they know they are watched
s'inquiète worries
Force est de One has to
bohème et désargentée bohemian and penniless
Marcel Aymé (1902–1967) French writer who lived in Montmartre
Gen Paul (1895–1975) expressionist painter who lived in Montmartre
  and knew Céline well
pote buddy
Docteur Destouches better known by his pen name, Louis-Ferdinand
  Céline (1894–1961), French writer who was a brilliant stylist but
  a controversial figure because of his anti-Semitic rhetoric. He is
  best known for his 1932 novel, *Voyage au bout de la nuit,* and its
  evocations of Detroit and New York.
brassage ethnic mix

*et dont les héros trouvent une **échappatoire** formidable en **montant sur scène**, ou dans les **coulisses**, à la **régie**..... Un nombre étonnant de vos personnages se retrouvent dans ces fonctions. Qu'en dites-vous ?*

– C'est vrai, c'est d'autant plus vrai que mon père qui est devenu médecin, **conformément** aux souhaits de son propre père, voulait, lui, faire du théâtre, comme sa mère, qui était **comédienne**. El il y a eu ce dilemme, il y a eu ce choix terrible de devoir finalement abdiquer une carrière artistique pour se consacrer à la science. Il n'a jamais regretté, il n'a jamais regretté parce que, finalement, il a trouvé cette échappatoire dont vous parlez dans la médecine, en particulier à l'hôpital qui est comme un théâtre, si vous voulez. Et la façon dont j'ai moi-même revisité le passé russe, le passé que je n'ai pas connu, je **me suis rendu dans** ce passé russe comme on va au théâtre, si vous voulez. J'ai dû **mettre en scène** des fantômes, j'ai dû reconstituer des **décors**, j'ai dû imaginer des costumes, donc il y a toute cette **démarche**, effectivement, plus du **metteur en scène** que de l'acteur. Mais c'est quelque chose de très important, de toute façon, pour revenir à Dostoïevski dont on parlait précédemment, Dostoïevski a dit : *seule la beauté sauvera le monde*. Et la beauté est beaucoup dans les arts.

⑩ *– Docteur Saffar, vous êtes d'accord, l'hôpital est un lieu théâtral ?*

– Oui, les médecins sont un peu **en représentation,** c'est vrai. C'est vrai, ils **se savent observés** par le patient, et le patient regarde avec intensité vos réactions, parce que si vous lisez un examen et que vous faites la grimace, le patient **s'inquiète** immédiatement, donc c'est vraiment une transmission, comme au théâtre, de sensations et de mouvements.

– Il n'y a pas uniquement des gens du spectacle dans Horowitz. *Force est de constater la communauté d'artistes « **bohème et désargentée** » comme vous le dites, et notamment des écrivains comme Marcel Aymé, des peintres tel **Gen Paul**, et son **pote** le fameux **Docteur Destouches**....et ce grand mélange et **brassage** communautaire ou*

Eglise Saint-Serge   first Russian Orthodox church established by the expatriate community in 1925. Also a theological seminary, it is still active today. It is situated on rue de Crimée in the 19th arrondissement.

raflé   rounded up [by police]

collabo   collaborationist in league with Nazi occupation forces

Le devoir de mémoire   term referring to the effort to preserve the memory of World War II, in particular the Occupation, the Resistance, and the Shoah

me méfis   distrust

fiable   reliable

dans la cour de récréation   at recess in the schoolyard

se moquaient de   made fun of

part d'ombre   shadowy part [of my life]

bourreaux   executioners

flous   blurred

subissent   endure

échappe   escapes

a su se vendre   managed to sell himself

Drôle de Guerre   Phoney War, the name given to the first six months of World War II (September 1939 to May 1940), after the German invasion of Poland, when there was little actual fighting in the European theater.

se livre   is waged

*on retrouve le père Sternberg, chanteur basso profundo dans les chœurs de l'**Eglise Saint-Serge** et par la ensuite **raflé** par la Gestapo ou par la police **collabo**. **Le devoir de mémoire** est aujourd'hui un sujet de polémique. En quoi votre récit serait-il un devoir de mémoire ?*

— Je **me méfis** un peu de la mémoire, c'est pas toujours un instrument **fiable**. Et, en ce qui me concerne, je le répète, je parle d'un monde que je n'ai pas connu. Par contre, le devoir de mémoire vient du fait que ce grand-père finalement qui est mort huit ans avant ma naissance, j'ai voulu le faire exister d'une façon ou d'une autre, j'ai voulu le rencontrer, j'ai voulu savoir d'où je venais. Quand j'étais élève, quand j'étais **dans la cour de récréation**, mes plus anciens souvenirs c'est que mes petits camarades **se moquaient de** ce nom Salatko, ce n'est pas le nom complet d'ailleurs, le vrai nom est Salatko-Petryszcze, et ça déjà…ça faisait une différence entre moi et les autres, donc, si vous voulez, ce devoir de mémoire, c'était pour essayer de connaître, visiter cette **part d'ombre**, ce côté russe qui était pour moi un peu étrange.

⑪ — *D'autant plus que les victimes et les **bourreaux** sont très **flous** : les Radzanov chrétiens **subissent** l'occupation et ses drames, alors que Horowitz, juif, **échappe** à l'Holocaust. Celui-ci devient célèbre artiste qui n'a jamais joué par amour de la musique, alors que celui-là reste dans l'anonymat et joue pour le seul plaisir de son épouse et de sa famille. Vous allez jusqu'à dire que l'ennemi public N° 1 n'était pas Hitler, ou Ghitler comme on dit en russe, mais Horowitz outre-Atlantique, ou Gorovitz, comme on dit en russe. Et là vous nous incitez à réfléchir sur le statut de l'amateur, n'est-ce pas ?*

— Oui, un amateur, qu'est-ce qu'un professionnel ? Un professionnel, c'est un amateur qui **a su se vendre**, donc on est tous plus ou moins amateur dans ces métiers artistiques. Pour en revenir à votre remarque sur Hitler, effectivement, ça se passe…une partie de l'histoire se passent pendant la **Drôle de Guerre**, et pour ce petit garçon qui raconte l'histoire, qui est mon père, ce petit garçon de dix ans, la Drôle de Guerre, c'est la guerre que **se livre** à la maison—sa

belle-mère mother-in-law (The speaker means *belle-fille,* daughter-in-law)

usine factory

fait se lever les foules brings the house down

occulte conceals

parer decorate

hôtel particulier townhouse

pièce maîtresse master work

L'Acrobate au repos This pencil drawing (1922) always remained in Picasso's possession. Research shows that Horowitz acquired *Le Saltimbamque assis au bras croisés,* also referred to as *Le Danseur au Repos* (1923), a large-scale painting that had several owners before and after the pianist. It is today in the Bridgestone Museum in Tokyo, purchased for some $3 million by museum founder Kanichiro Ishibashi.

affectionner to be fond of

gagnait earned

dépense spend

cadre environment

sans autre forme de procès without further ado

déjouer tout autre sort to foil [the possibility of] any other fate

baptisé named

Ambroise Paré (ca. 1510–1590) 16th-century surgeon and anatomist, considered the founder of modern surgery

bête silly

poignet wrist

pour le remettre en place to set it

belle-mère, enfin sa grand-mère et sa mère, sa grand-mère qui avait une détestation pour sa **belle mère**—et effectivement, ce qu'il vit lui, pendant la guerre, ce sont ces duels à distance entre son père qui revient de l'**usine** Pathé et cet Horowitz qu'il n'a jamais vu mais dont il a toujours entendu parler et qui de l'autre côté de l'Atlantique **fait se lever les foules**. Et, effectivement, à cette époque, Horowitz est plus important que Hitler....ça **occulte** un peu cette drôle de guerre qui se passe chez lui, ça occulte un peu la grande Histoire.

⑫ — *On découvre d'ailleurs un Vladimir Horowitz qui n'est pas seulement grand professionnel, mais en fait grand amateur d'art puisqu'il dépense sa fortune à **parer** son **hôtel particulier** à New York de tableaux de grands maîtres....Degas, Manet, Pissarro, Modigliani, Matisse, Rouault, et surtout une **pièce maîtresse** : **L'Acrobate au repos** de Picasso. C'est une image très subtile. Est-ce vrai, et si oui, que seraient devenus ces tableaux, surtout L'Acrobate, qu'il devait **affectionner** et pour des raisons que je peux imaginer ?*

— Oui, c'était un grand amateur d'art, effectivement, ce qu'il **gagnait** dans un art, disait-il...ce que je gagne dans un art, disait-il, je le **dépense** dans un autre. Et il avait une magnifique collection. Ce qui est intéressant c'est mon grand-père, lui, a vécu à Chatou—tout le monde le sait, c'est le berceau de l'impressionnisme—et dans cette collection d'art d'Horowitz, il possédait non seulement *L'Acrobate au repos de Picasso*, mais également une vue de Chatou, un tableau impressionniste. Donc, il avait chez lui à New York le **cadre** où vivait son rival à Chatou, ce qui est assez extraordinaire.

⑬ — *Le père, Dimitri, avait décidé **sans autre forme de procès** que son fils deviendrait médecin ? Pour **déjouer tout autre sort**, il l'a même **baptisé** Ambroise, en hommage à **Ambroise Paré**, père de la chirurgie moderne, chirurgien des rois. Dr. Saffar, d'où vient votre vocation ? Et jouez-vous du piano, par hasard ?*

— Premièrement, ma vocation c'est un peu **bête**, à dix ans je me suis cassé le **poignet**, et on m'a endormi **pour le remettre en place**,

joué du sort as luck would have it

éloigné distanced
Pathé-Marconi legendary recording studios and record factory in Chatou. The complex was shuttered in 1992.
et non pas Macaroni and not macaroni (as some erroneously referred to it)
prestations performances
l'enrichir make him rich
soufflé blown away

pèlerinage pilgrimage

détruites dismantled

couramment habitually
Gare Maritime former harbor facility in Cherbourg

manufactures factories

et me réveillant j'ai dit 'je veux être chirurgien', et je n'ai plus jamais réfléchi après, j'aurais peut-être dû essayer d'avoir d'autres choix, mais, j'ai fait de la chirurgie, ça ne posait aucun problème, pour moi c'était sûr que c'était ça que je devais faire, bon, et en plus, **joué du sort**, j'ai été spécialiste…je me suis spécialisé dans le poignet, bon… je joue du piano, j'ai joué comme tout le monde du piano pendant une dizaine d'années quand j'étais jeune, et puis, il y a trois ou quatre ans, j'ai recommencé le piano et je prends à peu près deux leçons par semaine, pour essayer d'avoir un plaisir personnel…je ne me laisserai pas écouter par personne.

– On rejoint l'idée de l'amateur….jouer pour son plaisir.

⑭ – *Le pianiste amateur, Dimitri Radzanov, ne s'est pourtant pas **éloigné** du grand pianisme, ou du grand Horowitz, puisqu'il travaille longtemps à **Pathé-Marconi**, **et non pas Macaroni**, à recréer les **prestations** de Vladimir sur les fameux 78 tours, et ainsi mieux le faire connaître, **l'enrichir**, lui permettre d'acquérir des tableaux, et ainsi de suite. Là encore, Alexis, je suis **soufflé** par votre inventivité, car vous touchez à un autre sujet : l'authentique et le copié, le faux vrai et le vrai faux, l'artifice. Est-ce votre propre passion pour la musique, ou avez-vous connu cette maison de disques ? Qu'est-ce qui vous fascine dans ce paysage ?*

– Lorsqu'on était enfant, on habitait Cherbourg, puisque mon père, médecin, s'est établi à Cherbourg, et il y avait un **pèlerinage** tous les ans avant Noël, on allait au cimetière des Landes à Chatou, le cimetière des Landes, le tombeau de mon grand-père était situé en face des usines Pathé Marconi, alors j'ai connu ces usines Pathé-Marconi, enfant, et puis ces usines Pathé Marconi ont été **détruites**. Et il a fallu que je reconstitue tout ça. C'est quelque chose que je fais assez **couramment** dans mes livres…j'ai fait ça pour la **Gare Maritime** de Cherbourg, ce temple des transatlantiques, cette grande cathédrale des mers a été détruite, il a fallu que je la reconstitue. C'est la même chose pour les usines Pathé-Marconi. Ensuite ça a été le cas dans mon dernier livre pour les **manufactures** de porcelaine. J'aime bien partir des vestiges d'âges d'or. Bon, il s'est passé quelque chose,

avoue confess, admit

électrophones early versions of record players

petite *here:* early

moyens means

tourne-disques record player

russophone Russian-speaking

fabriqué put together

carton cardboard

clou nail

découpée cut out

faisais tourner du doigt spun [the disk] with my finger

voix de son maître his master's voice, popular record label depicting a dog listening ostensibly to his master's voice, allegedly the voice of the celebrated Russian singer Chaliapine

envolée en arrière trip down memory lane

dévoiler reveal (*literally:* unveil)

action plot

aveu confession

mensonge lie

calvaire extreme hardship

évité avoided

dans le tapis [swept] under the rug

inavouables unspeakable

Occupation *here:* the Nazi occupation of France

quelque part, il n'en reste plus rien, et par la magie de l'écriture, et par mon imaginaire, je reconstitue tout ça. Voilà mon lien avec le vrai et le faux.

⑮ — *Je vous **avoue** avoir été très touché par ces **électrophones** qui me renvoient à ma **petite** enfance : nous avions très peu de **moyens**, et surtout pas pour un **tourne-disques**, je n'ai jamais eu de walkman, par ailleurs. Or, j'aimais chanter, j'aime toujours chanter, et ma mère, **russophone** elle aussi, m'avait **fabriqué** une petite boîte en **carton**, boîte de chaussures en fait, au milieu de laquelle elle avait fixé un petit clou sur lequel reposait librement une platine circulaire **découpée** en carton. Je **faisais tourner du doigt** le disque et je chantais. Voilà !!! Et savez-vous comment s'appelait ce petit engin? Un pathéphontchik ! Ma mère était aussi aimable que Violette, la mère du narrateur. Mais, mais, il n'y avait pas l'emblème du chien à l'écoute de la **voix de son maître**. D'ailleurs encore aujourd'hui, quand je vois un chien, j'entends d'abord la voix de son maître, et je revois le label RCA, Radio Corporation of America. Je me permets cette petite **envolée en arrière** personnelle, parce que ce qui marque tant chez votre narrateur c'est justement sa haute fidélité, son HI FI, sa fidélité à ses deux pères. Malgré les profonds secrets que Dimitri avait gardés – nous ne voulons pas tout **dévoiler** de l'**action** à nos auditeurs – Horowitz et mon père est un livre sur le dit et le non-dit, l'**aveu** et le **mensonge**. C'est un outil fantastique pour le créateur de fiction, mais un vrai **calvaire** dans les relations entre parents et enfants. Qu'en pensez-vous, Alexis ? Vous nous laissez avec deux personnages très solitaires : Vladimir meurt abandonné de sa famille, et Ambroise vit entouré de ses patients et de quelques voisins.*

— Oui, je pense que nous sommes tous solitaires. Je sais qu'à la maison on communiquait à travers les arts, que ce soit la musique, la peinture, la littérature, mais pas tellement par les paroles, par les mots, on se parlait très peu, on s'est toujours bizarrement **évité**, ou on a évité certains sujets, non pas qu'il y ait eu des secrets **dans le tapis** ou des choses **inavouables**, je ne sais pas, mais, peut-être que cette période dont mon père n'a jamais voulu parler vraiment, cette période de son passé, son passé pendant l'**Occupation**, peut-être que

taire silence
ces non-dits unspoken truths
lever lift
ils vont au bout they go the distance

clôturer bring to a close

petit-fils grandson
grandi raised, grew up
Cherbourg major port city on the English Channel, at the northern
    tip of Normandy, once a major transatlantic hub
déracinement uprooting
Limoges city in south-central France famed for porcelain making
Haute Vienne *département* in which Limoges is located
à peine barely

creusant digging into

sens inverse opposite direction
exploiter to run [a business]
rachetées bought up
de quoi nourrir toute une réflexion food for thought

c'était tellement de souffrances, de douleurs, que il préférait le **taire**. Je pense que c'est tous **ces non-dits** qu'il peut y avoir dans le livre, et que j'essaie de **lever** un à un, parce que finalement **ils vont au bout** du dialogue dans le livre. Et peut-être que ça vient de cette enfance muette, je dirais, même si elle est envahie par la musique, c'était muet puisque les rapports n'étaient pas ceux que j'aurais souhaités.

⑯ — *Chers amis, je ne voudrais pas* **clôturer** *cette rencontre sans dire un mot sur un autre livre signé d'Alexis Salatko,* China ou la grande fabrique *(également paru chez votre éditeur Fayard), et dont nous reproduisons un chapitre dans notre édition Linguality. Dites-nous un mot sur ce roman qui a été très très bien reçu.*

— Oui, comment ce roman est né ? En réalité, je suis donc le **petit-fils** d'un émigré russe, et j'ai **grandi** dans un port d'émigration, c'est-à-dire **Cherbourg**, et tous mes livres parlent du **déracinement**, de l'exil, de ces traversées de l'Atlantique. Et, en découvrant **Limoges**, tout à fait par hasard, en découvrant la **Haute Vienne**, je suis tombé sur l'histoire de cet Américain, qui s'appelait en réalité Haviland, bon, je l'appelle Hollister dans le livre, et qui au milieu du XIXe siècle a quitté les Etats-Unis pour venir construire au milieu de la France, au centre de la France qui sortait **à peine** du Moyen Age, une manufacture de porcelaine. Et c'est ce qui m'a...j'ai trouvé que c'était un magnifique sujet de roman, et en **creusant** un peu cette matière, puisque cette porcelaine est à la fois quelque chose de très fragile, de très dur et de très précieux, j'ai découvert tout un monde que j'ai voulu reconstituer.

⑰ — *Merci Alexis Salatko. Je me permets cette petite note de bas de page. Votre tout nouvel ouvrage,* China et la grande fabrique, *nous embarque dans le* **sens inverse** *de Horowitz. Un américain qui vient* **exploiter** *la porcelaine de Limoges au XIXe siècle. Aujourd'hui nombreuses sont ces grandes fabriques qui se voient* **rachetées** *par les Porcelaines Impériales de Saint Petersbourg,* **de quoi nourrir toute une réflexion.**

— Et, Merci, Doctor Saffar, rien de plus délicat et de fragile

exemplaire copy [of a book]
dédicacer sign [a book]

que la porcelaine, elle est beaucoup plus fragile que les os que vous soignez, peut-être. Je vous remercie d'avoir accepté de nous rejoindre et je vous offre un **exemplaire** de *Horowitz et mon père,* que vous demanderez à Alexis Salatko de vous **dédicacer.**

Et à vous chers auditeurs, chers lecteurs, je vous donne rendez-vous pour notre prochain entretien. J'accueillerai alors Xavier Patier, auteur de *Roman de Chambord.* Bonne lecture à toutes et à tous, et à tout bientôt.